LE DÉSERT DES TARTARES

DU MÊME AUTEUR
CHEZ POCKET

LE K
NOUVELLES (bilingue)
UN AMOUR

DINO BUZZATI

LE DÉSERT DES TARTARES

ROBERT LAFFONT

Cet ouvrage a été publié pour la première fois en Italie,
chez Arnoldo Mondadori Editore à Milan, sous le titre :

IL DESERTO DEI TARTARI

Traduit de l'italien par Michel Arnaud

ISBN 2-266-00993-1

I

Ce fut un matin de septembre que Giovanni Drogo, qui venait d'être promu officier, quitta la ville pour se rendre au fort Bastiani, sa première affectation.

Il faisait encore nuit quand on le réveilla et qu'il endossa pour la première fois son uniforme de lieutenant. Une fois habillé, il se regarda dans la glace, à la lueur d'une lampe à pétrole, mais sans éprouver la joie qu'il avait espérée. Dans la maison régnait un grand silence, rompu seulement par les petits bruits qui venaient de la chambre voisine, où sa mère était en train de se lever pour lui dire adieu.

C'était là le jour qu'il attendait depuis des années, le commencement de sa vraie vie. Pensant aux journées lugubres de l'Académie militaire, il se rappela les tristes soirées d'étude, où il entendait passer dans la rue les gens libres et que l'on pouvait croire heureux ; il se rappela aussi les réveils en plein hiver, dans les chambrées glaciales où stagnait le cauchemar des punitions, et l'angoisse qui le prenait à l'idée de ne jamais voir finir ces jours dont il faisait quotidiennement le compte.

Maintenant enfin, tout cela était du passé, il était officier, il n'avait plus à pâlir sur des livres, ni à trembler à la voix du sergent. Tous ces jours, qui lui avaient paru odieux, étaient désormais finis pour toujours et formaient des mois et des années qui jamais plus ne reviendraient. Oui, maintenant, il était officier, il allait avoir de l'argent, de jolies femmes le regarderaient peut-être, mais, au fond, il s'en rendit compte, ses plus belles années, sa première jeunesse, étaient probablement terminées. Et, considérant fixement le miroir, il voyait un sourire forcé sur le visage qu'il avait en vain cherché à aimer.

Quelle absurdité ! Pourquoi Giovanni Drogo ne réussissait-il pas à sourire avec l'insouciance de rigueur cependant qu'il faisait ses adieux à sa mère ? Pourquoi ne prêtait-il même aucune attention aux ultimes recommandations de celle-ci et parvenait-il tout au plus à percevoir le son de cette voix si familière et si humaine ? Pourquoi tournait-il dans sa chambre avec une stérile nervosité, incapable de trouver sa montre, sa cravache, son képi, qui, pourtant, étaient là où ils devaient être ? Il ne partait pourtant pas pour la guerre ! A cette même heure, des dizaines de lieutenants comme lui, ses anciens camarades, quittaient la maison paternelle, au milieu de rires joyeux, comme se rendant à une fête. Pourquoi ne lui venait-il aux lèvres que des paroles banales et vides de sens au lieu de mots affectueux et réconfortants ? L'amertume de quitter pour la première fois la vieille maison où il avait connu l'espoir, les craintes que tout changement apporte avec lui, l'émotion de dire adieu à sa mère lui emplissaient l'âme, mais sur tout cela pesait une pensée tenace qu'il ne parvenait pas à définir, comme le vague pressentiment de choses irrévocables, presque comme s'il eût été sur le point d'entreprendre un voyage sans retour.

Son ami Francesco Vescovi l'accompagna à cheval, un bout de chemin. Le pas des montures résonnait dans les rues désertes. L'aube pointait, la ville était encore plongée dans le sommeil ; çà et là, aux étages supérieurs, des persiennes s'ouvraient, des visages las apparaissaient, des regards apathiques se fixaient un instant sur la merveilleuse naissance du soleil.

Les deux amis ne parlaient pas. Drogo se demandait à quoi pouvait ressembler le fort Bastiani, sans parvenir à se l'imaginer. Il ne savait même pas exactement où se trouvait ce fort, ni la distance qu'il allait avoir à parcourir. Les uns lui avaient parlé d'une journée de cheval, les autres de moins, mais, en fait, aucun de ceux à qui il avait posé cette question n'y était jamais allé.

Aux portes de la ville, Vescovi se mit à parler avec vicacité de choses banales, comme si Drogo fût parti pour une simple promenade. Puis, à un certain moment :

— Tu vois, dit-il, cette montagne herbeuse ? Oui, celle-là. Tu aperçois un bâtiment au sommet ? Eh bien ! ce bâtiment fait déjà partie du fort, c'en est une redoute avancée. Je me rappelle y être passé il y a deux ans, avec mon oncle, en allant à la chasse.

Ils étaient maintenant sortis de la ville. Les champs de maïs commençaient, et les prés, et les bois rougis par l'automne. Giovanni et Francesco avançaient côte à côte, sur la route blanche calcinée par le soleil. Ils étaient amis, ils avaient vécu de la même vie pendant de longues années, avec les mêmes passions, les mêmes amitiés ; ils s'étaient vus tous les jours, et puis Vescovi avait engraissé ;

quant à Drogo, il était devenu officier et il sentait maintenant combien l'autre lui était étranger. Maintenant, toute cette vie facile et élégante n'était plus la sienne. Déjà, lui semblait-il, son cheval et celui de Francesco avaient une allure différente, le sien, un pas moins léger et moins vif, avec un fond d'angoisse et de lassitude, comme si l'animal, lui aussi, eût senti que la vie était sur le point de changer.

Ils étaient arrivés au haut d'une côte. Drogo se retourna et regarda la ville à contre-jour ; des fumées matutinales montaient des toits. Dans le lointain, il vit sa maison. Il identifia la fenêtre de sa chambre. Sans doute était-elle ouverte et les servantes étaient en train de mettre de l'ordre. Elles allaient défaire le lit, ranger dans une armoire les choses qui traînaient, et puis elles fermeraient les persiennes. Pendant des mois et des mois, la poussière seule pénétrerait dans la chambre et, les jours de soleil, de minces rais de lumière. Le voici enfermé dans le noir, le petit monde de son enfance. Sa mère le garderait ainsi ce monde pour que Giovanni, à son retour, puisse s'y retrouver de nouveau, pour qu'il puisse y demeurer enfant, même après cette longue absence ; oh ! certainement, elle se figurait pouvoir conserver intact un bonheur à jamais disparu, pouvoir arrêter la fuite du temps, s'imaginant que les choses seraient juste comme avant, quand elle rouvrirait les portes et les fenêtres au retour de son fils.

L'ami Vescovi prit alors affectueusement congé de Drogo et celui-ci continua seul sa route vers les montagnes. Le soleil donnait à pic quand il atteignit l'entrée de la vallée qui menait au fort.

A droite, au sommet d'une éminence, on apercevait la redoute que Vescovi lui avait montrée. Il ne semblait pas qu'il dût y avoir encore une longue route à parcourir.

Anxieux d'arriver, Drogo, sans faire halte pour se restaurer, poussa son cheval déjà fatigué sur la route qui était maintenant escarpée et encaissée entre des murailles abruptes. Les rencontres se faisaient toujours plus rares. Giovanni demanda à un charretier combien de temps il fallait pour arriver au fort.

— Le fort ? répondit l'homme. Quel fort ?

— Le fort Bastiani, dit Drogo.

— Il n'y a pas de fort par là, dit le charretier. Je n'ai jamais entendu parler de fort par là.

Évidemment, cet homme était mal informé. Drogo se remit en route, et, à mesure que l'après-midi s'écoulait, il commençait à ressentir une légère inquiétude. Il scrutait les bords très élevés de la vallée pour découvrir le fort. Il imaginait une sorte de vieux château aux murailles à pic. Les heures passant, il devenait de plus en plus convaincu que Francesco lui avait donné un renseignement erroné ; la redoute que celui-ci lui avait montrée devait être déjà loin derrière lui. Et le soir approchait.

Regardez Giovanni Drogo et son cheval : comme ils sont petits au flanc des montagnes qui se font toujours plus hautes et plus sauvages. Il continue de monter, pour arriver au fort dans la journée, mais, plus lestes que lui, du fond de la gorge où gronde le torrent, montent les ombres. A un certain moment, elles se trouvent juste à la hauteur de Drogo, sur le versant opposé, elles semblent ralentir leur course, comme pour ne point le décourager, puis elles se faufilent et montent encore, escaladant les talus et les rochers, et le cavalier est laissé en arrière.

Le val tout entier était déjà plein de ténèbres violettes, et seules les crêtes herbeuses et dénudées, à des hauteurs incroyables, étaient illuminées par le soleil, quand Drogo se trouva brusquement devant un bâtiment de style militaire, noir et gigantesque contre le très pur ciel vespéral, et qui paraissait ancien et désert. Giovanni sentit battre son cœur : ce devait être là le fort. Mais tout, des murs au paysage, avait un air sinistre et inhospitalier.

Il fit le tour du bâtiment sans en découvrir l'entrée. Bien que la nuit fût déjà sombre aucune des fenêtres n'était éclairée, et l'on n'apercevait pas non plus les fanaux des sentinelles sur le chemin de ronde. Il n'y avait qu'une chauve-souris, qui se balançait contre un nuage blanc. Finalement, Drogo essaya d'appeler : « Holà ! cria-t-il. Y a-t-il quelqu'un ? »

De l'ombre amassée au pied des murailles, surgit alors un homme, une sorte de vagabond et de mendiant, qui avait une barbe grise et qui tenait, à la main, un petit sac. Mais, dans la pénombre, il ne se détachait qu'imparfaitement et seul brillait le blanc de ses yeux. Drogo le regarda avec reconnaissance.

— Qui cherchez-vous, monsieur ? demanda l'homme.

— Je cherche le fort. Est-ce ce bâtiment-ci ?

— Il n'y a plus de fort ici, fit l'inconnu d'un ton débonnaire. Tout est fermé, ça doit bien faire dix ans qu'il n'y a plus personne.

— Et alors, où est donc le fort ? demanda Drogo, brusquement irrité contre cet homme.

— Quel fort ? Celui-là peut-être ?

Et, ce disant, l'inconnu tendait un bras, pour indiquer quelque chose.

A travers une fissure des roches voisines que l'obscurité recouvrait déjà, derrière de chaotiques gradins, à une distance incalculable, Giovanni entrevit alors, encore noyé dans le rouge soleil du couchant et comme issu d'un enchantement, un plateau dénudé et, sur le rebord de celui-ci, une ligne régulière et géométrique, d'une couleur jaunâtre particulière : le profil du fort.

Oh ! comme il était loin encore, ce fort ! Qui sait à combien d'heures de route encore, et le cheval de Drogo qui était déjà fourbu ! Drogo, fasciné, regardait fixement le fort, se demandant ce qu'il pouvait bien y avoir de désirable dans cette bâtisse solitaire, presque inaccessible, à tel point isolée du monde. Quels secrets cachait-elle ? Mais c'étaient les derniers instants. Déjà les ultimes rayons du soleil se détachaient lentement du lointain plateau et, sur les bastions jaunes, les livides bouffées de la nuit qui tombait faisaient irruption.

II

Giovanni Drogo cheminait encore quand la nuit le surprit. La vallée s'était resserrée et le fort avait disparu derrière le lourd rideau des montagnes. Nulle lumière, même pas le cri d'un oiseau de nuit ; seul, de temps en temps, le murmure d'une eau lointaine.

Drogo essaya d'appeler, mais la voix que lui renvoyèrent les échos avait un accent hostile. Il attacha son cheval à une souche d'arbre, au bord du chemin, à un endroit où l'animal pourrait trouver de l'herbe. Il s'assit ensuite, le dos au talus, et attendit le sommeil, tout en pensant au chemin qui lui restait à faire, aux gens qu'il allait trouver au fort, à sa vie future, sans rencontrer dans ses réflexions la moindre raison de se réjouir. De temps à autre, le cheval frappait le sol de son sabot, d'une façon étrange et désagréable.

A l'aube, quand Giovanni se remit en route, il s'aperçut que, sur le versant opposé du vallon, à une altitude égale, il y avait une autre route et, peu après, il distingua sur cette route quelque chose qui bougeait. Le soleil n'était pas encore parvenu jusque-là, et les ombres qui emplissaient les creux empêchaient d'y voir avec netteté. Mais, en hâtant le pas, Drogo réussit à se porter au même niveau que la chose et constata que c'était un homme : un officier à cheval.

Enfin, un homme comme lui ; un être ami avec qui il allait pouvoir rire et plaisanter, parler de la vie qui les attendait tous deux, parler de chasses, de femmes, de la ville. De la ville qui, maintenant, semblait à Drogo reléguée dans un monde très, très lointain.

Cependant, la vallée allait en se rétrécissant, les deux routes se rapprochaient, et Giovanni Drogo vit que l'autre cavalier était un capitaine. Tout d'abord, il n'osa pas crier, ce qui eût risqué de paraître futile et irrespectueux. Au lieu de cela, il salua, à plusieurs reprises, en portant la main droite à son képi, mais l'autre cavalier ne répondait pas. Il était évident qu'il n'avait pas aperçu Drogo.

— Mon capitaine ! cria finalement Giovanni, vaincu par l'impatience.

Et il salua de nouveau.

— Qu'y a-t-il ? répondit une voix qui venait de l'autre côté.

Le capitaine s'était arrêté, il avait salué avec correction et demandait maintenant à Drogo la raison de ce cri. Il n'y avait aucune sévérité dans cette question : mais on comprenait pourtant que l'officier était surpris.

— Qu'y a-t-il ?

La voix du capitaine retentit à nouveau, mais, cette fois-ci, légèrement irritée.

Giovanni s'arrêta, mit ses mains en porte-voix et répondit de toutes ses forces :

— Rien ! Je voulais seulement vous saluer !

C'était une explication stupide, presque injurieuse, car elle pouvait faire croire à une plaisanterie. Drogo s'en repentit immédiatement. Dans quel guêpier ridicule venait-il de se fourrer, et tout ça parce qu'il n'était pas capable de se suffire à lui-même.

— Qui êtes-vous ? lui cria en retour le capitaine.

C'était la question que redoutait Drogo. Cet étrange colloque, d'un côté à l'autre de la vallée, prenait ainsi l'allure d'un interrogatoire hiérarchique. Mauvais début, car il était probable, sinon certain, que le capitaine était l'un des officiers du fort. Quoi qu'il en fût, il fallait répondre.

— Lieutenant Drogo ! cria Giovanni.

Le capitaine ne le connaissait pas et il n'y avait

pas la moindre chance qu'il pût, à cette distance, saisir ce nom, mais il parut se rasséréner, car il se remit en route, après avoir fait un geste d'accord, comme pour dire que, bientôt, ils se rencontreraient. En effet, une demi-heure plus tard, à un endroit où la gorge se resserrait, un pont apparut. Les deux chemins se réunissaient en un seul.

Au pont, les deux hommes se rencontrèrent. Toujours à cheval, le capitaine s'approcha de Drogo et lui tendit la main. C'était un homme qui avait la quarantaine et peut-être davantage, au visage sec et noble. Son uniforme était d'une coupe sans élégance, mais parfaitement réglementaire. Il se présenta :

— Capitaine Ortiz.

Il parut à Drogo, lorsqu'il lui serra la main, qu'il pénétrait dans l'univers du fort. C'était là le premier lien, et il allait en venir ensuite d'innombrables autres, de toutes sortes, pour l'y enchaîner.

Sur-le-champ, le capitaine se remit en route; Drogo, qui se porta à son côté, mais en restant un peu en arrière, par respect pour son grade, s'attendait qu'il fît des allusions désagréables à l'embarrassante conversation de tout à l'heure. Pourtant, le capitaine se taisait, peut-être n'avait-il pas envie de parler, peut-être était-il timide et ne savait-il comment commencer. La route était escarpée et le soleil brûlant, les deux chevaux avançaient lentement.

— Tout à l'heure, à cette distance, dit finalement le capitaine Ortiz, je n'avais pas saisi votre nom. C'est Droso, je crois ?

— Drogo, répondit Giovanni, avec un *g*, Drogo

Giovanni. C'est plutôt vous, mon capitaine, qui devez m'excuser si je vous ai appelé tout à l'heure. Vous comprenez, ajouta-t-il pour se disculper, à cette distance, je n'avais pas très bien vu votre grade.

— Effectivement, on ne pouvait pas le voir, admit Ortiz, renonçant à le contredire, et il se mit à rire.

Ils chevauchèrent ainsi pendant un petit moment, tous les deux un peu embarrassés. Puis Ortiz dit :

— Et où vous rendez-vous, comme ça ?

— Au fort Bastiani. N'est-ce pas là la bonne route ?

— Si, si, c'est bien celle-ci.

Ils se turent, il faisait chaud, et toujours des montagnes de tous côtés, de gigantesques montagnes, herbeuses et sauvages.

— Ainsi, dit Ortiz, vous allez au fort ? Sans doute apportez-vous un quelconque message ?

— Non, mon capitaine, je vais prendre mon service, j'y ai été affecté.

— Affecté comme cadre ?

— Comme cadre, oui, je crois. C'est ma première affectation.

— Alors, c'est certainement comme cadre... Bien, très bien, dans ce cas... je vous adresse toutes mes félicitations.

— Merci, mon capitaine.

Ils se turent et avancèrent encore un peu. Giovanni avait grand soif, une gourde de bois était pendue à la selle du capitaine et l'on entendait l'eau qui était dedans faire floc-floc.

— Pour deux ans ? demanda Ortiz.

— Je vous demande pardon, mon capitaine : de quoi voulez-vous parler ?

— Je veux dire que vous devez sans doute être affecté au fort pour deux ans, comme d'habitude. N'est-ce pas ?

— Deux ans ? Je ne sais pas, on ne m'a pas précisé la durée.

— Oh ! cela va de soi, deux ans ; vous tous, lieutenants nouvellement promus, vous faites deux ans et puis vous vous en allez.

— Deux ans, c'est la règle pour tout le monde ?

— Deux ans qui comptent double, cela va de soi, pour l'ancienneté, et c'est bien cela qui vous intéresse, sinon personne ne demanderait ce poste. Hein ! pourvu qu'on ait un avancement rapide, on s'adapte à tout, même au fort Bastiani, non ?

Drogo n'avait jamais pensé à cela, mais, ne voulant pas passer pour un imbécile, il essaya d'une phrase vague :

— Il est certain que beaucoup...

Ortiz n'insista pas, il semblait que le sujet ne l'intéressât plus. Mais, maintenant que la glace était rompue, Giovanni osa demander :

— Mais les années comptent-elles double pour tout le monde, au fort ?

— Qui ça, tout le monde ?

— Pour les autres officiers, voulais-je dire.

Ortiz ricana :

— Ah ! oui, pour tout le monde ! Pensez-vous ! Pour les officiers subalternes seulement, cela va de soi, sinon qui demanderait à y être envoyé ?

— Je n'ai pas fait de demande, dit Drogo.

— Vous n'avez pas fait de demande ?

— Non, mon capitaine, j'ai su seulement il y a deux jours que j'étais affecté au fort Bastiani.

— Tiens ! c'est étrange, en effet.

Ils se turent encore, chacun paraissant songer à des choses différentes. Puis Ortiz dit :

— A moins que...

Giovanni se secoua :

— Comment, mon capitaine ?

— Je disais : à moins qu'il n'y ait plus eu d'autres demandes et qu'on vous ait nommé d'office.

— Ça se peut aussi, mon capitaine.

— Oui, effectivement, il doit en être ainsi.

Drogo regardait se profiler sur la poussière de la route l'ombre nette des deux chevaux dont les têtes, à chaque pas, faisaient « oui oui » ; il entendait leur quadruple piétinement, le bourdonnement de quelques grosses mouches et rien d'autre. On ne voyait pas le bout de la route. De temps en temps, à un coude de la vallée, on apercevait devant soi, très haut, taillée dans des pentes raides, la route qui grimpait en zigzag. Parvenu à l'endroit qu'on avait aperçu, on levait la tête vers le haut, et l'on retrouvait encore devant soi toujours plus haut, la route.

— Mon capitaine, demanda Drogo, excusez-moi si...

— Parlez, parlez, je vous écoute.

— Il y a encore beaucoup de route à faire ?

— Non, pas beaucoup, peut-être deux heures et demie, peut-être même trois, à cette allure. En fait, peut-être serons-nous arrivés pour midi.

Ils se turent pendant un long moment, les chevaux étaient tout en sueur, celui du capitaine était fatigué, il traînait la jambe.

— N'est-ce pas, dit Ortiz, vous sortez de l'Académie royale ?

— Oui, mon capitaine, de l'Académie.

— Ah, oui ! Et, dites-moi : le colonel Magnus y est-il encore ?

— Le colonel Magnus ? Je ne crois pas, je ne le connais pas.

La vallée, maintenant, se resserrait, barrant la route aux rayons du soleil. De sombres gorges s'ouvraient latéralement de temps en temps, il en venait des bouffées de vent glaciales ; tout en haut, on apercevait des sommets abrupts en forme de cônes ; il semblait que deux et même trois jours ne pussent suffire à en atteindre la cime, tant ils paraissaient hauts.

— Et dites-moi, lieutenant, demanda Ortiz, le commandant Bosco est-il encore là ? Fait-il toujours le cours de balistique ?

— Non, mon capitaine, je ne crois pas. Le cours de balistique c'est Zimmermann, le commandant Zimmermann.

— Ah ! oui, Zimmermann, en effet, c'est un nom que je connais. La vérité, c'est que bien des années se sont écoulées depuis le temps où j'étais à l'Académie .. Maintenant, ils ont tous dû êtremutés.

A présent, ils étaient tous deux plongés dans leurs réflexions. La route avait de nouveau débouché au soleil, les montagnes succédaient aux montagnes, plus escarpées maintenant et avec des parois rocheuses.

— Hier soir, dit Drogo, je l'ai vu de loin.

— Quoi donc ? Le fort ?

— Oui, le fort.

Il se tut un instant et puis, pour être aimable :

— Il doit être grandiose, n'est-ce pas ? Il m'a paru immense.

— Grandiose, le fort ? Mais non, c'est l'un des plus petits, une très vieille bâtisse. Ce n'est que de loin qu'il fait de l'effet.

Après un silence, il ajouta :

— Une très, très vieille bâtisse, complètement démodée.

— Mais c'est l'un des forts les plus importants, n'est-ce pas ?

— Mais non, c'est un fort de deuxième catégorie, répondit Ortiz.

Il semblait qu'il éprouvât du plaisir à en dire du mal, mais ceci, il le faisait d'un ton particulier ; comme quelqu'un qui s'amuse à énumérer les défauts de son rejeton, certain que, comparés aux immenses mérites de celui-ci, ils seront toujours quantité négligeable.

— C'est un bout de frontière morte, ajouta Ortiz. C'est pour cela qu'on n'a jamais touché au fort et qu'il est toujours comme il y a un siècle.

— Que voulez-vous dire par frontière morte ?

— Une frontière qui ne donne pas de souci. De l'autre côté, il y a un grand désert.

— Un désert ?

— Un désert effectivement, des pierres et de la terre desséchée, on l'appelle le désert des Tartares.

— Pourquoi « des Tartares » ? demanda Drogo. Il y avait donc des Tartares ?

— Autrefois, je crois. Mais c'est surtout une légende. Personne ne doit être passé par là, même durant les guerres de jadis.

— De sorte que le fort n'a jamais servi à rien ?

— A rien, dit le capitaine.

La route montant toujours, les arbres avaient disparu et il ne restait, çà et là, que de rares buissons ; quant au reste, ce n'étaient que champs grillés, rochers, éboulis de terre rouge.

— Pardon, mon capitaine, y a-t-il des agglomérations à proximité du fort ?

— A proximité, non. Il y a San Rocco, mais il faut bien compter une trentaine de kilomètres.

— Alors, je suppose qu'il n'y a pas beaucoup de distractions.

— Pas beaucoup, non, pas beaucoup effectivement.

L'air avait fraîchi, les flancs des montagnes s'arrondissaient, faisant présager les crêtes finales.

— Et on ne s'y ennuie pas, mon capitaine ? demanda Giovanni d'un ton de confidence, riant comme pour donner à entendre que cela lui importait peu, à lui.

— On s'y fait, répondit Ortiz.

Et il ajouta, avec un reproche déguisé :

— Moi, j'y suis depuis bientôt dix-huit ans. Non, je me trompe, depuis dix-huit ans révolus.

— Dix-huit ans ? fit Giovanni impressionné.

— Dix-huit, répondit le capitaine.

Un vol de corbeaux passa, rasa les deux officiers et s'enfonça dans les profondeurs de la vallée.

— Des corbeaux, dit le capitaine.

Giovanni ne répondit pas, il était en train de penser à la vie qui l'attendait, il se sentait étranger à cet univers, à ces montagnes, à cette solitude.

— Mais, parmi les officiers dont la première affectation est le fort Bastiani, y en a-t-il qui, ensuite, y restent ?

— Très peu, maintenant, répondit Ortiz qui se repentait presque d'avoir dit du mal du fort, s'apercevant que l'autre, à présent, exagérait.

Presque personne même. Maintenant, vous voulez tous de brillantes garnisons. Jadis, aller au fort Bastiani, c'était un honneur ; maintenant, on dirait presque que c'est une punition.

Giovanni ne répondit rien, mais l'autre insista.

— Somme toute, reprit-il, c'est une garnison de frontière. En général, ce sont des garnisons composées d'éléments de premier ordre. En fait, un poste exposé est toujours un poste exposé.

Drogo se taisait, soudain oppressé. A l'horizon qui s'était élargi, apparaissaient de bizarres dentelures de pierre, des roches acérées qui se chevauchaient dans le ciel.

— Maintenant, continuait Ortiz, même dans l'armée, les conceptions ont changé. Jadis, aller au fort Bastiani était un grand honneur. Maintenant, on dit que c'est une frontière morte, on oublie qu'une frontière est toujours une frontière et qu'on ne sait jamais...

Un ruisseau traversait la route. Ils s'arrêtèrent pour laisser boire les chevaux, et, ayant mis pied à terre, marchèrent un peu de long en large pour se dégourdir les jambes.

— Savez-vous ce qui est vraiment de premier ordre au fort ? demanda Ortiz.

Et il se mit à rire de bon cœur.

— Quoi donc, mon capitaine ?

— La cuisine : vous verrez comment on mange au fort. Et c'est ce qui explique la fréquence des inspections. Tous les quinze jours, un général !

Drogo rit par politesse. Il ne parvenait pas à comprendre si Ortiz était un crétin, s'il cachait quelque chose, ou bien s'il tenait de tels propos comme ça, sans la moindre raison.

— Parfait, dit Giovanni, j'ai une de ces faims !

— Oh ! nous y sommes presque maintenant. Vous voyez cette bosse où il y a une tache de graviers ? Eh bien ! le fort est juste derrière.

S'étant remis en marche, les deux officiers débouchèrent, juste derrière la bosse où il y avait une tache de graviers, sur le rebord d'un plateau qui montait légèrement, et le fort apparut devant eux, à quelques centaines de mètres.

Il semblait en effet petit, comparé à la vision qu'en avait eue Drogo le soir précédent. Du fort proprement dit et qui était au centre, qui, au fond, ressemblait à une caserne sans beaucoup de fenêtres, partaient deux gros murs bas à créneaux, qui le reliaient aux redoutes latérales, dont il y avait deux de chaque côté. Ces murs formaient une faible barrière qui fermait entièrement la vallée, large d'environ cinquante mètres et qu'enserraient de chaque côté de hauts rochers abrupts.

A droite, juste en dessous des parois de la montagne, le plateau s'enfonçait dans une sorte de cuvette ; la vieille route de la vallée passait là et aboutissait au pied des murs.

Le fort était silencieux, noyé dans le plein soleil de midi, sans un seul coin d'ombre. Ses murs (la façade qui était tournée vers le nord était invisible) s'étendaient nus et jaunâtres. Une cheminée crachait une pâle fumée. Tout le long du chemin de ronde du bâtiment central, à la crête des murs et des redoutes, on apercevait des dizaines de factionnaires, le fusil sur l'épaule, qui marchaient méthodiquement de long en large, chacun ne parcourant que quelques pas. Tel le mouvement d'un pendule, ils scandaient le cours du temps, sans rompre l'enchantement de cette solitude qui semblait infinie.

Les montagnes, à droite et à gauche, se prolongeaient à perte de vue en chaînes escarpées, apparemment inaccessibles. Elles aussi, du moins à cette heure-là, avaient une couleur jaune et calcinée.

Instinctivement, Giovanni Drogo arrêta son cheval. Il considérait d'un regard fixe les sombres murailles, les parcourant lentement des yeux, sans parvenir à en déchiffrer le sens. Il pensa à une prison, il pensa à un château abandonné. Un léger souffle de vent fit onduler, au-dessus du fort, un drapeau qui, d'abord, pendait flasque, se confondant avec le mât. On entendit une vague sonnerie de trompette. Les sentinelles marchaient entement. Sur l'aire, devant la porte d'entrée, trois ou quatre hommes (on ne pouvait voir, à cause de la distance, si c'étaient des soldats) étaient en train de charger des sacs sur un chariot. Mais tout stagnait dans une mystérieuse torpeur.

Le capitaine Ortiz, lui aussi, s'était arrêté et regardait le bâtiment.

— Le voilà, dit-il, bien que ce fût parfaitement inutile.

« Maintenant, se dit Drogo, il va me demander ce que j'en pense », et cette idée l'agaça. Mais le capitaine garda le silence.

Il n'était pas imposant, le fort Bastiani, avec ses murs bas, et il n'était pas beau non plus, ni pittoresque malgré ses tours et ses bastions; il n'y avait absolument rien qui rachetât cette nudité, qui rappelât les choses douces de la vie.

Et pourtant, comme la veille au soir, du fond de la gorge, Drogo le regardait, hypnotisé, et une inexplicable émotion s'emparait de son cœur.

Et derrière, qu'y avait-il ? Par delà cet édifice inhospitalier, par delà ces merlons, ces casemates, ces poudrières, qui obstruaient la vue, quel monde s'ouvrait ? A quoi ressemblait ce Royaume du Nord, ce désert pierreux par où personne n'était jamais passé ? La carte, Drogo se le rappelait vaguement, indiquait de l'autre côté de la frontière une vaste zone où il n'y avait que très peu de noms, mais du haut du fort verrait-on au moins quelques localités, quelques champs, une maison, ou seulement la désolation d'une lande inhabitée ?

Il se sentit brusquement seul : sa belle assurance de soldat si désinvolte jusqu'alors, tant qu'avaient duré les calmes expériences de la vie de garnison, tant qu'il avait eu une maison confortable, des amis joyeux à proximité, et les petites aventures nocturnes dans les jardins endormis, cette belle assurance et toute sa confiance en soi venaient tout d'un coup de lui faire défaut. Le fort lui paraissait un de ces univers inconnus auxquels il n'avait jamais sérieusement pensé pouvoir appartenir, non point parce qu'ils lui semblaient haïssables, mais parce qu'infiniment loin de sa vie habituelle. Un univers bien plus absorbant, sans autres splendeurs que celles de ses lois géométriques.

Oh ! retourner en arrière. Ne pas même franchir le seuil du fort, et redescendre en plaine, retrouver sa ville et ses chères habitudes. Telle fut la première pensée de Drogo et peu importe qu'une telle faiblesse ait été honteuse chez un soldat : lui-même était prêt à l'avouer s'il le fallait, pourvu qu'on le laissât repartir. Mais un nuage dense se levait, tout blanc, de l'invisible horizon septentrional, au-dessus des glacis et, imperturbables sous le soleil à son zénith, les sentinelles marchaient de long en large comme des automates. Le cheval de Drogo hennit. Puis ce fut de nouveau le grand silence.

Giovanni détacha finalement ses yeux du fort et regarda, à côté de lui, le capitaine, espérant entendre une parole amie. Ortiz, lui aussi, était resté immobile et regardait intensément les murs jaunes. Oui, lui qui vivait là depuis dix-huit ans, il contemplait ces murs, presque avec émerveillement, comme se retrouvant devant un prodige. Il semblait qu'il ne se lassât pas de les regarder et de les regarder encore, et un vague sourire, à la fois de joie et de tristesse, illuminait lentement son visage.

III

Dès son arrivée, Drogo se présenta à l'adjudant-major, le commandant Matti. Le lieutenant de semaine, un jeune homme désinvolte et cordial, nommé Carlo Morel, le mena au cœur même du fort. Les deux hommes s'éloignèrent de la voûte d'entrée, d'où l'on entrevoyait une grande cour déserte par un large couloir dont on ne parvenait pas à distinguer le bout. Le plafond se perdait dans la pénombre, de temps en temps un petit rais de lumière filtrait par d'étroites meurtrières.

A l'étage au-dessus, seulement, ils rencontrèrent un soldat qui portait des cartes. Les murs nus et humides, le silence, la lumière blafarde donnaient l'impression que les habitants du fort avaient tous oublié que, quelque part, dans le monde, il existait des fleurs, des femmes rieuses, des maisons gaies et hospitalières. Tout ici était un renoncement, mais au profit de qui, au profit de quel bien mystérieux ? A présent, ils étaient au troisième étage et avançaient le long d'un couloir exactement identique au premier. Drogo, incrédule, crut entendre parfois, derrière certains murs, de lointains échos de rires.

Le commandant Matti était grassouillet et souriait avec une bienveillance excessive. Son bureau était vaste, et vaste aussi était sa table couverte de papiers bien en ordre. Il y avait au mur un portrait en couleurs du roi, et le sabre du commandant était accroché à une patère de bois faite exprès.

Drogo se présenta au garde-à-vous, montra ses papiers et commença d'expliquer que ce n'était pas sur sa demande qu'on l'avait affecté au fort (il était bien décidé à se faire muter, dès que possible), mais Matti l'interrompit.

— J'ai connu votre père, autrefois, lieutenant. Un parfait homme du monde. Vous voudrez sûrement faire honneur à sa mémoire. Il était président de la Haute Cour, si je ne m'abuse ?

— Non, mon commandant, fit Drogo. Mon père était médecin.

— Ah ! oui, médecin. Bon sang, je confondais ! Médecin, oui, oui...

Pendant un instant, Matti parut embarrassé,

et Drogo remarqua qu'il portait souvent la main gauche à son col, tentant de cacher une tache de graisse, une tache ronde et manifestement récente, sur le plastron de son uniforme.

Le commandant se reprit tout de suite :

— Je me réjouis de vous voir ici, dit-il. Vous savez ce qu'a dit Sa Majesté Pietro III ? « Le fort Bastiani, sentinelle de ma couronne », et j'ajouterai, moi, que c'est un grand honneur de faire partie de sa garnison. Vous n'en êtes peut-être pas convaincu, lieutenant ?

Il disait ces choses mécaniquement, comme une formule apprise depuis des années, une formule qu'il fallait ressortir en des occasions déterminées.

— Si, mon commandant, dit Giovanni. Vous avez tout à fait raison, mais je vous avoue que, néanmoins, ç'a été une surprise pour moi. En ville, j'ai de la famille, et je préférerais, si possible, rester...

— Ah ! vous voulez donc déjà nous quitter ; avant même, pour ainsi dire, d'être arrivé ? Je vous avoue que cela me déplaît, oui, que cela me déplaît.

— Ce n'est pas que j'en aie envie. Je ne me permets pas de discuter... je veux dire que...

— J'ai compris, fit le commandant avec un soupir, comme si c'était là une vieille histoire et qu'il fût capable de l'excuser. J'ai compris : vous vous imaginiez le fort tout différent et, à présent, vous êtes un peu effrayé. Mais, dites-moi honnêtement : comment faites-vous pour le juger, honnêtement, quand il n'y a que quelques minutes que vous êtes arrivé ?

— Mon commandant, déclara Drogo, je n'ai

absolument rien contre le fort... Seulement, je préférerais rester en ville ou, tout au moins, aux environs. Vous comprenez ? Je vous parle en toute confiance, je vois que vous comprenez ces choses, et je m'en remets à votre bienveillance...

— Mais bien sûr, bien sûr ! s'exclama Matti avec un rire bref. Nous sommes ici pour ça ! Ici, nous ne voulons pas de gens qui restent à contre-cœur, même s'il s'agit de la dernière des sentinelles! Je regrette seulement que... Vous me semblez être un brave garçon...

Le commandant se tut un instant, comme pour réfléchir à la meilleure solution. Ce fut à ce moment-là que Drogo, tournant légèrement la tête vers la gauche, dirigea son regard vers la fenêtre ouverte, qui donnait sur la cour intérieure. On voyait le mur d'en face, comme les autres jaunâtre et battu par le soleil, avec les rectangles noirs de ses rares fenêtres. Il y avait aussi une horloge qui marquait deux heures et, sur la dernière terrasse, une sentinelle qui marchait de long en large, le fusil sur l'épaule. Mais au-dessus de la crête du contour supérieur du bâtiment, très loin, au milieu des réverbérations de la chaleur de midi, surgissait une cime rocheuse. On n'en voyait que l'extrême pointe et elle n'avait en soi rien de particulier. Pourtant, cette masse rocheuse contenait pour Giovanni Drogo le premier appel visible de la terre du Nord, du royaume légendaire, dont la surveillance incombait au fort. Et le reste, comment était-il ? De par là venait une lumière paresseuse, parmi de lentes volutes de brume. Le commandant se remit alors à parler.

— Dites-moi, demanda-t-il à Drogo, voudriez-vous repartir immédiatement, ou bien cela vous est-il égal d'attendre quelques mois ? Quant à nous, je vous le répète, cela nous est indifférent... du point de vue administratif s'entend, ajouta-t-il pour que la phrase n'eût pas l'air impolie.

— Puisque je dois repartir, fit Giovanni, agréablement surpris par cette absence de difficultés, puisque je dois repartir, mieux vaut, me semble-t-il, le faire tout de suite.

— D'accord, d'accord, lui dit le commandant d'un ton rassurant. Mais, maintenant, je vais vous expliquer : au cas où vous voudriez partir tout de suite, le mieux serait que vous vous fassiez porter malade. Vous resterez deux ou trois jours en observation à l'infirmerie et le major vous donnera un certificat. Il y en a beaucoup, du reste, qui ne tiennent pas le coup, à cette altitude...

— Est-il vraiment nécessaire que je me fasse porter malade ? demanda Drogo, qui n'aimait pas ce genre de supercheries.

— Nécessaire, non, mais cela simplifie tout. Sinon, il faudrait que vous fassiez une demande écrite de mutation, il faudrait envoyer cette demande au Grand État-Major, lequel doit répondre, ce qui prend au moins deux semaines. Il faut surtout que le colonel s'en occupe, et c'est cela que je préférerais éviter. Au fond, ces choses lui déplaisent, elles le blessent, c'est bien le mot, elles le blessent, c'est comme si l'on faisait du tort à son fort. Donc, pour être tout à fait franc, si j'étais à votre place, je préférerais éviter...

— Excusez-moi, mon commandant, remarqua Drogo, j'ignorais ceci. Si le fait de m'en aller peut me nuire, alors, c'est une autre affaire.

— Mais absolument pas, lieutenant, vous ne m'avez pas compris. Dans aucun de ces cas, votre carrière n'aura à souffrir. Il s'agit seulement — comment dire ? — d'une nuance... Bien sûr, et je vous l'ai tout de suite dit, cela ne peut pas faire plaisir au colonel. Mais si vous êtes vraiment décidé...

— Non, non, protesta Drogo, si les choses sont comme vous le dites, peut-être le certificat médical est-il préférable.

— A moins que... fit Matti avec un sourire insinuant, laissant sa phrase en suspens.

— A moins que ?

— A moins que vous n'acceptiez de rester ici quatre mois, ce qui serait la meilleure solution.

— Quatre mois ? demanda Drogo, déjà un peu déçu après avoir eu la perspective de pouvoir s'en aller tout de suite.

— Quatre mois, confirma Matti. La procédure est beaucoup plus régulière. Et maintenant, je vais vous expliquer : deux fois par an, tout le monde passe à la visite médicale, c'est le règlement. La prochaine visite aura lieu dans quatre mois. Ça me semble pour vous la meilleure occasion. Et votre certificat sera négatif : j'en prends moi-même l'engagement, si vous le voulez. Vous pouvez être tout à fait tranquille.

» En outre, continua le commandant après un temps, en outre, quatre mois, c'est quatre mois, et cela suffit pour que l'on puisse noter quelqu'un. Vous pouvez être sûr que le colonel vous notera convenablement. Et vous savez l'importance que cela peut avoir pour votre carrière. Mais, entendons-nous, entendons-nous bien : ceci est un simple conseil que je vous donne, vous êtes absolument libre...

— Oui, mon commandant, je comprends parfaitement.

— Ici, souligna le commandant, le service n'est pas fatigant, c'est presque toujours un service de garde. Quant à la nouvelle redoute, qui en demande un peu plus, elle ne vous sera certainement pas confiée dans les premiers temps. Donc, n'ayez crainte : fatigues, néant ; vous aurez tout au plus à redouter l'ennui...

Mais Drogo écoutait à peine les explications de Matti. Il était bizarrement attiré par le tableau qu'encadrait la fenêtre, avec ce petit bout de roche qui pointait au-dessus du mur de façade. Un sentiment vague se glissait dans son âme, qu'il ne parvenait pas à analyser ; peut-être quelque chose de stupide et d'absurde, une idée sans fondement.

En même temps, il se sentait un peu rasséréné. Il avait toujours hâte de partir, mais n'éprouvait plus l'angoisse de tout à l'heure. Il avait presque honte des appréhensions qui avaient été les siennes à son arrivée au fort. Se pouvait-il qu'il ne fût pas l'égal de tous les autres ? Un départ immédiat, se disait-il maintenant, pouvait équivaloir à un aveu d'infériorité. De la sorte, l'amour-propre luttait contre le désir de retrouver la vieille existence familière.

— Mon commandant, dit Drogo, je vous remercie de vos conseils, mais permettez-moi de réfléchir jusqu'à demain.

— Parfait ! déclara Matti avec une satisfaction évidente. Et ce soir ? Voulez-vous rencontrer le colonel au mess, ou préférez-vous laisser la chose en suspens ?

— Mais, répondit Giovanni, il me semble inutile

de me cacher, et ceci d'autant plus si je dois ensuite rester ici quatre mois.

— Vous avez tout à fait raison, dit le commandant. Cela vous encouragera. Vous verrez quels garçons sympathiques : tous des officiers de premier ordre.

Matti sourit, et Drogo comprit que le moment de prendre congé était venu. Mais avant cela :

— Mon commandant, demanda-t-il d'une voix calme en apparence, est-ce que je puis jeter un coup d'œil au nord, voir ce qu'il y a par delà ces murs ?

— Par delà ces murs ? Je ne savais pas que vous vous intéressiez aux panoramas, répondit le commandant.

— Rien qu'un coup d'œil, mon commandant, par simple curiosité. J'ai entendu dire qu'il y a un désert et, moi, des déserts je n'en ai jamais vu.

— Ça ne vaut pas la peine, lieutenant. Un paysage monotone, vraiment rien de beau. Croyez-moi, n'y pensez pas !

— Je n'insiste pas, mon commandant, fit Drogo. Je ne croyais pas que cela présentât de difficultés.

Le commandant Matti joignit le bout de ses doigts grassouillets, presque en un geste de prière.

— Vous m'avez justement demandé, dit-il, l'unique chose que je ne puis vous accorder. Seuls les militaires en service peuvent aller sur les chemins de ronde et dans les corps de garde, il faut connaître le mot de passe.

— Mais ça ne peut même pas être accordé à titre exceptionnel, même pas à un officier ?

— Même pas à un officier. Ah ! je vous comprends bien : ces finasseries vous semblent ridicules, à vous autres des villes. Et puis, là-bas, le mot de passe n'est pas un grand secret. Ici, en revanche, c'est tout autre chose.

— Mais, pardonnez-moi si j'insiste, mon commandant...

— Parlez, parlez donc, lieutenant.

— Je voulais dire : est-ce qu'il n'y a même pas une meurtrière, même pas une fenêtre d'où l'on puisse regarder ?

— Une seule. Il y en a une seule dans le bureau du colonel. Personne, hélas ! n'a songé à un belvédère pour les curieux. Mais, je vous le répète, ça n'en vaut pas la peine, c'est un paysage sans aucun intérêt. Oh ! vous en aurez vite par-dessus la tête, du panorama, si vous vous décidez à rester.

— Merci, mon commandant. Puis-je disposer ?

Et il salua, au garde-à-vous.

Matti fit un geste amical de la main.

— Au revoir, lieutenant. Mais ne pensez donc pas à ça ; un paysage sans intérêt, je vous le garantis, un paysage on ne peut plus bête.

Le soir même, pourtant, le lieutenant Morel, n'étant plus de jour, conduisit en cachette Drogo sur le chemin de ronde, pour lui permettre de voir le désert.

Un très long couloir, éclairé par de rares lanternes, parcourait les remparts sur toute leur longueur, d'un bord du col à l'autre. De temps en temps, il y avait une porte : celle d'un magasin, d'un atelier, d'un corps de garde. Ils marchèrent pendant cent cinquante mètres environ, jusqu'à l'entrée de la troisième redoute. Une sentinelle en armes se tenait sur le seuil. Morel demanda à parler au lieutenant Grotta, qui était chef de poste.

Ainsi, malgré le règlement, ils purent entrer. Giovanni se trouva dans un petit passage; sur l'un des murs, sous une lanterne, il y avait un tableau où étaient inscrits les noms des soldats de garde.

— Viens, viens par ici, dit Morel à Drogo, il vaut mieux faire vite.

Drogo monta derrière lui un étroit escalier qui aboutissait à l'air libre, sur les glacis de la redoute. Le lieutenant Morel fit un signe à la sentinelle qui veillait là, comme pour lui dire que les formalités étaient inutiles.

Giovanni se trouva brusquement penché au-dessus d'un merlon du mur d'enceinte : devant lui, inondée par la lumière du couchant, la vallée s'enfonçait, devant lui, les secrets du septentrion se dévoilaient.

Une vague pâleur avait envahi le visage de Drogo, qui regardait, pétrifié. La sentinelle voisine s'était arrêtée et un silence infini semblait être descendu avec les halos du crépuscule. Puis, sans détourner le regard, Drogo demanda :

— Et derrière ? derrière ces roches, comment est-ce ? C'est tout comme ça, jusqu'au bout ?

— Je n'ai jamais vu comment c'était, répondit Morel. Il faut aller à la nouvelle redoute, celle qui est là-bas, au sommet de ce cône. De là, on voit toute la plaine. On dit...

Et, ici, il s'interrompit.

— On dit ?... Qu'est-ce qu'on dit ? demanda Drogo. Et une inquiétude inhabituelle faisait trembler sa voix.

— On dit que toute cette plaine n'est que cailloux, une sorte de désert, des cailloux tout blancs, paraît-il, comme s'il y avait de la neige.

— Rien que des cailloux ? Et c'est tout ?

— C'est ce qu'on dit : des cailloux, et quelques marécages.

— Mais au fond, au Nord, on doit tout de même bien voir quelque chose ?

— En général, à l'horizon, il y a de la brume, dit Morel, qui avait perdu sa cordiale exubérance de tout à l'heure. Il y a les brumes du Nord qui empêchent de rien voir.

— Les brumes ! s'exclama Drogo incrédule. Elles ne doivent pas rester là en permanence, l'horizon doit parfois être clair.

— Il n'est presque jamais clair, même en hiver. Mais il y en a qui prétendent avoir vu...

— Qui prétendent avoir vu ? Quoi donc ?

— Ils ont rêvé, c'est sûr. Allez donc croire les soldats ! Celui-ci dit une chose, celui-là une autre. Certains disent avoir vu des tours blanches, ou bien ils disent qu'il y a un volcan fumant et que c'est de là que viennent les brumes. Même Ortiz, le capitaine, prétend avoir vu quelque chose, il y a bien de cela cinq ans. A l'entendre, il y a une longue tache noire, apparemment des forêts.

Ils se turent. Où donc Drogo avait-il déjà vu ce monde ? Y avait-il vécu en songe ou l'avait-il construit en lisant quelque antique légende ? Il lui semblait le reconnaître, reconnaître ce chaos de roches basses, cette vallée tortueuse sans aucune végétation, ces précipices abrupts et enfin ce triangle désolé de plaine que les roches qui étaient devant ne parvenaient pas à masquer.

Dans le tréfonds de son âme, des échos s'étaient éveillés, qui demeuraient incompréhensibles pour lui.

Maintenant, Drogo contemplait le monde du septentrion, la lande inhabitée à travers laquelle, disait-on, les hommes n'étaient jamais passés. Jamais, de par là, n'était venu l'ennemi, jamais on n'y avait combattu, jamais rien n'y était arrivé.

— Et alors, demanda Morel d'un ton qui se voulait jovial. Et alors, ça te plaît ?

Tout ce que put dire Drogo, ce fut : « Euh !... » En lui tourbillonnaient des désirs confus en même temps que de folles craintes.

On entendit le son d'une trompette, un tout petit son de trompette, venant on ne sait d'où.

— A présent, conseilla Morel, il vaut mieux que tu t'en ailles.

Mais Giovanni parut ne pas entendre, occupé qu'il était à chercher quelque chose dans ses propres pensées. Les lumières du soir s'affaiblissaient et le vent, revenu avec les ténèbres, se glissait le long des constructions géométriques du fort. Pour se réchauffer, la sentinelle avait repris sa marche et, de temps en temps, elle regardait Giovanni Drogo, qui lui était inconnu.

— A présent, il vaut mieux que tu t'en ailles, répéta Morel, en prenant son camarade par le bras.

IV

Il avait souvent été seul : quand il était encore enfant et qu'il s'était perdu dans la campagne, et d'autres fois en ville, la nuit, dans les rues où rôdait le crime, et même la nuit précédente, où il avait dormi en chemin. Mais, maintenant, c'était bien autre chose, maintenant qu'était tombée l'excitation du voyage, que ses nouveaux collègues étaient déjà en train de dormir, et qu'il était assis dans sa chambre, à la lueur de la lampe, sur le bord de son lit, triste et perdu. Maintenant, oui, il comprenait pour de bon ce qu'était la solitude (une chambre pas laide, toute lambrissée, un grand lit, une table, un divan inconfortable, une armoire). Tout le monde, au mess, avait été très gentil pour lui, on avait débouché une bouteille en son honneur, mais, maintenant, tous, ils se fichaient pas mal de lui, ils l'avait déjà complètement oublié (au-dessus du lit, un crucifix de bois; de l'autre côté, une vieille gravure avec une longue légende dont on pouvait lire les premiers mots : *Humanissimi Viri Francisci Angloisi virtutibus*). Personne, au cours de cette longue nuit, ne viendrait lui rendre visite; personne, dans tout le fort, ne pensait à lui, et, non seulement dans le fort, mais probablement aussi dans le monde entier, il n'y avait être humain qui pensât à Drogo; chacun a ses propres occupations, chacun se suffit à peine à lui-même, même sa mère, oui, peut-être bien, même elle avait, en ce moment, d'autres choses en tête, elle n'avait pas seulement Giovanni comme fils, elle avait pensé à lui toute la journée, maintenant, c'était un peu au tour des autres. C'est plus que juste, admettait Giovanni Drogo sans l'ombre d'un reproche, mais, en attendant, il était assis sur le bord de son lit, dans sa chambre du fort (il remarquait maintenant, gravé dans le bois du mur, colorié avec un soin extraordinaire, un sabre grandeur nature, qui pouvait même paraître vrai à première vue, œuvre méticuleuse de quelque officier, Dieu sait combien d'années auparavant), il était assis, donc, sur le bord du lit, la tête un peu penchée en avant, le dos courbé, le regard éteint et lourd, et il se sentait seul comme jamais il ne l'avait été.

Et voici Drogo qui se lève avec effort, qui ouvre la fenêtre, qui regarde au dehors. La fenêtre donnait sur la cour et l'on ne voyait rien d'autre que celle-ci. Cette fenêtre donnant au sud, Giovanni tenta en vain de distinguer, dans la nuit, les montagnes qu'il avait traversées pour arriver au fort ; cachées par le rempart, elles paraissaient moins hautes que celui-ci.

Trois fenêtres seulement étaient éclairées, mais elles appartenaient à la même façade que la sienne, de sorte qu'on ne pouvait voir à l'intérieur ; leurs halos de lumière, de même que celui de la chambre de Drogo, se reflétaient, agrandis, sur le mur opposé, et dans l'un d'eux une ombre s'agitait, sans doute un officier en train de se déshabiller.

Il ferma la fenêtre, se dévêtit, se mit au lit et resta quelques minutes à penser, regardant fixement le plafond recouvert également de bois. Il avait oublié d'apporter de quoi lire, mais, ce soir-là, peu lui importait, car il avait grand sommeil. Il éteignit la lampe; de l'obscurité émergea peu à peu le rectangle clair de la fenêtre et Drogo vit briller les étoiles.

Il lui parut qu'une soudaine torpeur l'entraînait dans le sommeil. Mais il en avait trop conscience. Un tourbillon d'images, presque en rêve, défila devant lui, qui commençaient même à former une histoire, mais, au bout d'un instant, Giovanni s'aperçut qu'il était encore éveillé.

Plus éveillé que tout à l'heure, car l'immensité du silence le frappa. Très, très loin, mais n'était-ce pas une illusion ? il entendit tousser. Puis, tout près, un bruit d'eau, un bruit mou, qui se propagea à travers les murs. Une petite étoile verte (il demeurait immobile à regarder) avait, dans son voyage nocturne, presque atteint le rebord supérieur de la fenêtre, bientôt elle allait disparaître ; elle scintilla un bref instant, juste sur le noir rebord, et puis, en effet, disparut. Drogo voulut la suivre encore un peu, en avançant la tête. A ce moment-là, il entendit un second « floc », comme le bruit de la chute d'un objet dans l'eau. Ce bruit allait-il se répéter encore ? L'oreille tendue, il guetta le bruit, bruit de souterrains, bruit de marécages, de maisons mortes abandonnées. Des minutes passèrent, immobiles, le silence absolu semblait, finalement, le maître incontesté du fort. Et de nouveau se pressaient autour de Drogo des images de la vie lointaine.

« Floc ! », le voici encore ce bruit odieux. Drogo s'assit. C'était donc un son intermittent ; les derniers bruits de chute n'avaient pas été plus faibles que le premier, ce ne pouvait donc être un suintement sur le point de se tarir. Comment dormir dans de telles conditions ? Drogo se rappela qu'un cordon, sans doute celui d'une sonnette, pendait à côté de son lit. Il se risqua à le tirer, le cordon céda et, dans un lointain méandre du bâtiment, répondit, presque imperceptible, un bref tintement. Quelle idiotie, se dit alors Drogo, que d'appeler les gens à cause d'une semblable ineptie. Et qui allait répondre ?

Des pas résonnèrent bientôt au dehors, dans le couloir, s'approchèrent de plus en plus, quelqu'un frappa à la porte.

— Entrez ! fit Drogo.

Un soldat apparut, une lanterne à la main :

— Mon lieutenant désire ?

— Nom de Dieu ! dit Drogo, se mettant en colère à froid, on ne peut pas dormir ici ! Qu'est-ce que c'est que ce bruit insupportable ? Un tuyau qui goutte, arrange-toi pour que ça cesse, il n'y a absolument pas moyen de dormir. Parfois, il suffit de mettre un chiffon dessous.

— C'est la citerne, répondit immédiatement le soldat, comme habitué à cette question. C'est la citerne, mon lieutenant, il n'y a rien à faire.

— La citerne ?

— Oui, mon lieutenant, expliqua le soldat. La citerne à eau, juste derrière ce mur. Tout le monde se plaint, mais on n'a rien pu faire. Ce n'est pas seulement d'ici qu'on l'entend. Le capitaine Fonzaso, lui aussi, gueule de temps en temps, mais il n'y a rien à faire.

— Alors, c'est bon, va-t'en, fit Drogo.

La porte se referma, les pas s'éloignèrent, le silence s'établit de nouveau, les étoiles brillèrent dans l'encadrement de la fenêtre. Giovanni, maintenant, pensait aux factionnaires qui, à quelques mètres de lui, marchaient de long en large, tels des automates, sans s'arrêter jamais pour reprendre haleine. Ils étaient des dizaines et des dizaines à être éveillés, ces hommes, tandis que lui était étendu sur son lit, tandis que tout semblait plongé dans le sommeil. Des dizaines et des dizaines, se disait Drogo, mais pour qui, pour quoi ? Dans ce fort, le formalisme militaire semblait avoir créé un chef-d'œuvre insensé. Des centaines d'hommes pour garder un col par lequel ne passerait personne. S'en aller, s'en aller au plus vite, se disait Giovanni, sortir de cette atmosphère, de ce brumeux mystère. Oh ! son honnête maison ; à cette heure-ci, sûrement, sa mère devait être en train de dormir, toutes lumières éteintes ; à moins qu'elle ne pensât encore à lui pendant un moment, c'était même très probable, il la connaissait bien : la moindre chose la rendait anxieuse et, la nuit, la faisait se tourner et se retourner dans son lit, sans pouvoir trouver le repos.

Encore le gargouillis de la citerne, encore une autre étoile qui dépassa le cadre de la fenêtre et dont la lumière continuait à atteindre le monde, les glacis du fort, les yeux fébriles des sentinelles, mais non plus Giovanni Drogo, lequel attendait le sommeil, tourmenté maintenant par de sinistres pensées.

Et si les subtilités de Matti n'étaient toutes qu'une comédie ? Si, en réalité, même au bout de quatre mois, on ne le laissait plus partir ? Et si, par des chinoiseries administratives, on l'empêchait de revoir la ville ? S'il devait rester ici pendant des années et des années, et si, dans cette chambre, sur ce lit solitaire, devait se consumer sa jeunesse ? Quelles hypothèses absurdes, se disait Drogo, se rendant compte de leur imbécillité, et pourtant il n'arrivait pas à les chasser, et elles revenaient très vite le solliciter, protégées par la solitude de la nuit.

Il lui paraissait de la sorte sentir croître autour

de lui un obscur complot pour tenter de le retenir. Probablement, il ne s'agissait même pas de Matti. Ni celui-ci, ni le colonel, ni aucun autre officier ne s'intéressait le moins du monde à lui : qu'il restât ou qu'il partît, il était bien évident que cela leur était parfaitement indifférent. Pourtant, une force inconnue s'opposait à son retour à la ville et peut-être cette force jaillissait-elle de son propre esprit, sans qu'il s'en aperçût.

Puis il vit un porche, un cheval sur une route blanche, il lui sembla s'entendre appeler par son nom, et le sommeil s'empara de lui.

V

Deux jours plus tard, Giovanni Drogo fut, pour la première fois, de service, à la troisième redoute. A six heures du soir, les sept détachements de garde se rangèrent dans la cour : trois pour le fort proprement dit, quatre pour les redoutes latérales. Le huitième détachement, celui de la nouvelle redoute, était parti avant les autres, parce qu'il y avait un long chemin à parcourir.

Le sergent-major Tronk, vieux gradé du fort, avait amené les vingt-huit hommes destinés à la troisième redoute, plus un trompette, ce qui faisait vingt-neuf. Ils appartenaient tous à la deuxième compagnie, celle du capitaine Ortiz, à laquelle Giovanni avait été affecté. Drogo en prit le commandement et dégaina son épée. Les sept gardes montantes étaient alignées au cordeau, et, d'une fenêtre, selon la tradition, le colonel commandant la garnison les observait. Sur la terre jaune de la cour, les sept détachements formaient un dessin noir, beau à voir.

Le ciel, balayé par le vent, resplendissait au-dessus des remparts que les derniers rayons du soleil coupaient en diagonale. Un soir de septembre. Le lieutenant-colonel Nicolosi, commandant en second, franchit la porte de l'état-major ; une vieille blessure le faisait boiter et il s'appuyait sur son épée. Ce jour-là, le gigantesque capitaine Monti était de service, pour l'inspection : sa voix rauque cria le commandement et tous les soldats, avec un ensemble parfait, présentèrent les armes, dans un puissant cliquetis métallique. Il se fit un vaste silence.

Alors, l'un après l'autre, les trompettes des sept détachements jouèrent les sonneries d'usage. C'étaient les fameuses trompettes d'argent du fort Bastiani, aux cordons de soie rouge et or, d'où pendait un grand écusson. Leur voix pure, s'épanouissant dans le ciel, faisait vibrer le mur immobile des baïonnettes, avec une vague sonorité de cloche. Les soldats étaient semblables à des statues, leurs visages militairement inexpressifs. Non, ils ne se préparaient certes pas aux monotones tours de garde ; avec ces regards de héros, on eût certes dit qu'ils allaient attendre l'ennemi.

La dernière note resta longtemps suspendue dans l'air, renvoyée par les lointains remparts. Les baïonnettes scintillèrent encore un bref instant, brillantes contre le ciel profond, puis elles furent englouties dans les rangs, s'éteignant simultanément. Le colonel avait disparu de la fenêtre. Les sept détachements s'irradièrent vers leur destination respective et leurs pas résonnèrent à travers les labyrinthes du fort.

Une heure plus tard, Giovanni Drogo était sur la terrasse supérieure de la troisième redoute, à l'endroit même d'où, le soir précédent, il avait regardé vers le septentrion. Hier, il était venu fureter comme un voyageur de passage. Mais, à présent, il était le maître : pendant vingt-quatre heures, la redoute tout entière et cent mètres de remparts dépendaient de lui seul. Quatre artilleurs sous ses ordres, à l'intérieur du fortin, s'occupaient des deux canons pointés vers le fond de la vallée ; trois sentinelles se partageaient le chemin de ronde de la redoute, quatre autres étaient échelonnées tous les vingt-cinq mètres, le long du mur d'enceinte, vers la droite.

La relève de la garde descendante s'était déroulée avec une précision méticuleuse sous les yeux du sergent-major Tronk, spécialiste des règlements. Il y avait vingt-deux ans que Tronk était au fort et, maintenant, il n'en bougeait plus, même pendant ses permissions. Nul n'en connaissait aussi bien que lui tous les recoins ; souvent, la nuit, les officiers le rencontraient en train de faire une ronde dans l'obscurité la plus profonde, sans la moindre lumière. Quand il était de service, les sentinelles n'abandonnaient pas un seul instant leur fusil, ne s'appuyaient pas aux murs et évitaient même de s'arrêter, car les arrêts n'étaient tolérés qu'exceptionnellement ; de toute la nuit, Tronk ne dormait pas et rôdait à pas silencieux sur les chemins de ronde, faisant sursauter les sentinelles. « Qui vive, qui vive ? » demandaient les sentinelles, en étreignant leur fusil. « Grotta », répondait le sergent-major. « Gregorio », disait la sentinelle.

Pratiquement, les officiers et les sous-officiers de garde parcouraient sans formalités le chemin de ronde de leurs bastions respectifs, les soldats les connaissaient bien de vue et l'échangé du mot de passe eût semblé ridicule. Il n'y avait qu'avec Tronk que les soldats suivaient à la lettre le règlement.

Tronk n'était pas grand, il était maigre, un visage de petit vieux, le crâne rasé ; il parlait très peu, même avec ses collègues, et, pendant ses heures de liberté, il préférait rester seul, à étudier la musique. Il avait une passion pour celle-ci ; si bien que le chef de la clique, le maréchal des logis Espina, était peut-être son seul ami. Il possédait un bel accordéon, mais n'en jouait presque jamais, le bruit courait néanmoins que c'était un virtuose ; il étudiait l'harmonie et l'on disait qu'il avait composé plusieurs marches militaires. Mais, au fond, on ne savait rien de précis.

Il n'y avait pas de danger que, pendant le service, il se mît à siffler comme il avait l'habitude de le faire quand il était de repos. Tout au plus rôdait-il le long des créneaux, scrutant la vallée du Nord, à la recherche de Dieu sait quoi. A présent, il était à côté de Drogo et lui montrait le chemin muletier qui, longeant d'abruptes parois, menait à la nouvelle redoute.

— Voici la garde descendante, disait Tronk en tendant l'index de la main droite; mais, dans la pénombre du crépuscule, Drogo ne parvint pas à rien distinguer. Le sergent-major secoua la tête.

— Qu'y a-t-il ? demanda Drogo.

— Il y a que, comme ça, le service ne va pas, répondit Tronk. Je l'ai toujours dit, c'est de la folie !

— Mais que s'est-il passé ?

— Comme ça, le service ne va pas, répéta Tronk. Ils devraient faire d'abord la relève de la garde à la nouvelle redoute. Mais le colonel ne veut pas.

Giovanni le regarda stupéfait : était-il possible que Tronk se permît de critiquer le colonel ?

— Le colonel, continua le sergent-major avec conviction et avec une profonde gravité, et certes point pour rectifier ses dernières paroles, le colonel a parfaitement raison de son point de vue. Seulement, personne ne lui a expliqué le danger.

— Le danger ? interrogea Drogo qui se demandait quel danger il pouvait bien y avoir à se rendre du fort à la nouvelle redoute par ce sentier commode, dans un endroit aussi désert.

— Le danger, répéta Tronk. Un jour ou l'autre, avec cette obscurité, il arrivera quelque chose.

— Et que devrait-on faire ? demanda, pour être aimable, Drogo que toute cette histoire n'intéressait que très relativement.

— Jadis, fit le sergent-major, trop heureux de pouvoir faire montre de son savoir, jadis, à la nouvelle redoute, la relève s'effectuait deux heures avant celle du fort. Et toujours de jour, même en hiver ; et puis le système des mots de passe était simplifié. Il fallait le mot pour pénetrer dans la redoute, et il fallait celui qui allait servir pour la journée de garde et le retour au fort. Deux mots suffisaient. Quand la garde descendante était de retour au fort, la garde, ici, n'avait pas encore été relevée, et le mot était encore valable.

— Oui, je comprends, murmura Drogo, renonçant à le suivre.

— Mais ensuite, poursuivit Tronk, ils ont eu peur. Il est imprudent, disaient-ils, de laisser en circulation, hors des limites du fort, tant de soldats qui connaissent le mot de passe. On ne sait jamais, disaient-ils, il est plus facile qu'un soldat sur cinquante trahisse, qu'un seul officier.

— Eh oui ! acquiesça Drogo.

— Alors, ils se sont dit : « Il vaut mieux que le commandant soit seul à connaître le mot de passe. » De sorte que, maintenant, ils quittent le fort trois quarts d'heure avant la relève de la garde. Prenons aujourd'hui, par exemple. La relève générale s'est effectuée à six heures. La garde pour la nouvelle redoute est partie d'ici à cinq heures et quart et est arrivée là-bas à six heures juste. Pour sortir du fort, cette garde n'a pas besoin du mot de passe, puisqu'elle est un détachement encadré. Pour pénétrer dans la redoute, il fallait le mot de passe d'hier ; et ce mot, seul le connaissait l'officier. Une fois la relève effectuée à la redoute, le mot de passe d'aujourd'hui entre en vigueur, et celui-ci aussi, l'officier est seul à le connaître. Et cela dure vingt-quatre heures, jusqu'à ce que la garde montante arrive pour la relève. Demain soir, lorsque les soldats reviendront (ils peuvent être là vers les six heures et demie : au retour, la route est moins fatigante), le mot de passe, au fort, sera encore changé. Et, de la sorte, il faut un troisième mot de passe. L'officier doit donc en savoir trois, celui qui sert pour l'aller, celui que l'on utilise pendant la garde et le troisième pour le retour. Toutes ces complications pour que les soldats ignorent le mot pendant qu'ils sont en route.

» Et je dis, moi, continuait Tronk, sans se soucier de savoir si Drogo lui prêtait attention, je dis, moi : si l'officier est seul à connaître le mot de passe et que, admettons, il se trouve mal en route, que feront les soldats ? Ils ne pourront pas l'obliger à parler. Et ils ne peuvent non plus revenir à leur point de départ, parce que, pendant ce temps-là aussi, le mot a été changé. Est-ce qu'on ne pense pas à cela ? Et puis, eux qui tiennent tellement au secret, ne se rendent-ils pas compte qu'avec ce système il leur faut trois mots de passe au lieu de deux et que, le troisième, celui pour rentrer le lendemain dans le fort, est mis en circulation plus de vingt-quatre heures à l'avance ? Quoi qu'il arrive, ils sont obligés de conserver ce dernier mot, sinon la garde ne pourrait plus rentrer.

— Mais, objecta Drogo, on les reconnaîtrait bien, non ? on verrait bien que c'est la garde descendante !

Tronk regarda le lieutenant.

— Mon lieutenant, dit-il d'un ton un peu supérieur, ceci est impossible. Il y a le règlement du fort. Sans le mot de passe, personne venant du côté du Nord, personne, qui que ce soit, ne peut pénétrer dans le fort.

— Mais alors, dit Drogo agacé par cette absurde rigueur, ne serait-il pas plus simple d'avoir un mot de passe spécial pour la nouvelle redoute ? La relève s'effectue d'abord et le mot pour rentrer est communiqué seulement à l'officier. De la sorte les soldats ne savent rien.

— Bien sûr, fit le sous-officier presque triomphant, comme s'il eût attendu cette objection. Ce serait probablement la meilleure solution. Mais il faudrait changer le règlement, il faudrait une loi. Le règlement dit (Tronk prit la voix qu'il avait pour la théorie) : « Le mot de passe est valable vingt-quatre heures, d'une relève de la garde à l'autre ; un seul mot de passe est mis en vigueur dans le fort et ses dépendances. » Le règlement précise : « Ses dépendances. » C'est clair. Il n'y a pas moyen de tricher.

— Mais autrefois, fit Drogo, qui, au début, n'avait pas été très attentif, la relève ne s'effectuait-elle pas d'abord à la nouvelle redoute ?

— Évidemment ! s'exclama Tronk, puis, se corrigeant : Oui, mon lieutenant. Il y a deux ans seulement qu'on emploie ce système. Avant, c'était beaucoup mieux.

Le sous-officier se tut ; Drogo le regardait épouvanté. Que restait-il de ce soldat au bout de vingt-deux ans passés au fort ? Tronk se souvenait-il encore qu'il existait quelque part dans le monde des millions d'hommes semblables à lui-même, qui ne portaient pas l'uniforme, et qui circulaient librement dans la ville, et qui pouvaient, la nuit, selon leur bon plaisir, aller au lit, au théâtre ou au cabaret ? Non, il suffisait de regarder Tronk pour comprendre qu'il ne se rappelait plus rien des autres hommes, que, pour lui, n'existaient plus que le fort et ses odieux règlements. Tronk avait oublié le doux son de la voix des jeunes filles, il avait oublié comment sont faits les jardins, les fleuves, les arbres autres que les maigres et rares buissons disséminés aux alentours du fort. Tronk, il est vrai, regardait vers le septentrion, mais point dans le même esprit que Drogo ; lui, il regardait fixement le sentier qui menait à la nouvelle redoute, le fossé et la contreescarpe, il explorait du regard les voies d'accès possibles et non point les roches sauvages, ni ce triangle de plaine mystérieuse ni, encore moins, les blancs nuages qui naviguaient dans le ciel déjà presque nocturne.

Ainsi, tandis que la nuit venait, le désir de fuir s'emparait de nouveau de Drogo. Pourquoi n'était-il pas parti tout de suite ? se reprochait-il. Pourquoi avait-il cédé à la mielleuse diplomatie de Matti ? Maintenant, il était obligé d'attendre que quatre mois se fussent écoulés, quatre mois, cent vingt interminables journées, dont la moitié se passerait à monter la garde sur les remparts. Il lui sembla qu'il se trouvait parmi des hommes d'une autre race, sur une terre étrangère, dans un monde dur et ingrat. Il regarda autour de lui, reconnut Tronk qui, immobile, observait les sentinelles.

VI

On était déjà en pleine nuit. Drogo était assis dans la chambre nue de la redoute et s'était fait monter du papier, de l'encre et une plume pour écrire.

« Chère maman », commença-t-il d'écrire et, immédiatement, il se sentit comme lorsqu'il était enfant. Tout seul, à la lueur d'une lanterne, maintenant que personne ne le voyait, au cœur de ce fort inconnu de lui, loin de sa maison, loin de toutes les choses familières et bonnes; il avait le sentiment que c'était une consolation que de pouvoir au moins ouvrir complètement son cœur.

Bien sûr, avec les autres, avec ses collègues officiers, il lui fallait se montrer un homme, rire avec eux et raconter des histoires de soldats et des histoires de femmes, aussi effrontées les unes que les autres. A qui d'autre, sinon à sa mère, pouvait-il dire la vérité ? Et la vérité de Drogo, ce soir-là, n'était pas une vérité de soldat courageux, elle n'était probablement pas digne de l'austère fort Bastiani, ses camarades eussent ri de cette vérité qui était la fatigue du voyage, le caractère opprimant de ces sombres remparts, le sentiment de se trouver dans une solitude totale.

« Je suis arrivé épuisé après deux jours de route », voilà ce qu'il allait lui écrire, « et, une fois arrivé, j'ai appris que, si je le voulais, je pouvais retourner en ville. Le fort est lugubre, il n'y a aucune localité à proximité, il n'y a aucune distraction et aucune gaieté. » Voilà ce qu'il allait lui écrire.

Mais Drogo se souvint de sa mère : à cette heure-ci elle pensait justement à lui et se consolait en songeant que son fils passait agréablement son temps au milieu d'amis sympathiques et, peut-être, sait-on jamais ! en aimable compagnie. Elle se l'imaginait certainement satisfait et serein.

« Chère maman », écrivit la main de Drogo. « Je suis arrivé avant-hier après un excellent voyage. Le fort est grandiose... » Oh ! lui faire comprendre la désolation de ces remparts, cette vague atmosphère de punition et d'exil, ces hommes étrangers et absurdes. Au lieu de ça : « Les officiers d'ici m'ont accueilli affectueusement », écrivait-il. « L'adjudant-major lui-même a été très gentil et m'a laissé entièrement libre de retourner en ville si je le voulais. Et pourtant, je... »

Peut-être qu'à ce même moment sa mère allait et venait dans sa chambre à lui, dans sa chambre abandonnée, ouvrant un tiroir, rangeant certains de ses vieux habits, les livres, le bureau ; elle les avait déjà rangés plus d'une fois, mais il lui semblait ainsi retrouver un peu de la présence vivante de son fils, comme s'il allait rentrer, ainsi que de coutume, avant dîner. Il semblait à Giovanni qu'il entendait le bruit familier des petits pas inquiets de sa mère, de ces petits pas que l'on eût dit toujours anxieux pour quelqu'un. Comment aurait-il eu le courage de l'attrister ? S'il avait été à côté d'elle, dans la même pièce, tous les deux réunis sous la lampe familière, alors oui, Giovanni lui eût tout dit et elle n'aurait pas eu le temps de s'attrister, parce qu'il aurait été près d'elle et que, maintenant, le plus dur était passé. Mais comme ceci, de loin, par lettre ? Assis près d'elle, devant la cheminée, dans la rassurante tranquillité de la vieille maison, alors oui, il lui eût parlé du commandant Matti et de ses insidieuses flatteries, des manies de Tronk ! Il lui eût dit combien stupidement il avait accepté de rester quatre mois et, probablement ils auraient tous les deux ri de cela. Mais comment faire, d'aussi loin ?

« Et pourtant », écrivait Drogo, « j'ai cru bien faire,

et pour moi-même et pour ma carrière, de rester quelque temps ici... Et puis mes camarades sont très sympathiques, le service est facile et pas fatigant. » Et sa chambre, le bruit de la citerne, la rencontre avec le capitaine Ortiz, et la terre du Nord si désolée ? Ne fallait-il pas expliquer à sa mère les règlements de fer de la garde, la redoute dénudée dans laquelle il se trouvait ? Non, même avec sa mère il ne pouvait être sincère, même à elle il ne pouvait avouer les craintes obscures qui ne le laissaient pas en repos.

A la maison, en ville, les pendules, l'une après l'autre, sonnaient maintenant dix heures, avec des timbres différents, faisant légèrement vibrer les verres dans les buffets ; de la cuisine, venait le bruit d'un éclat de rire ; de l'autre côté de la rue, le son d'un piano. A travers une très étroite fenêtre, presque une meurtrière, Drogo, de l'endroit où il était assis, pouvait jeter un regard vers la plaine du Nord, vers cette terre désolée ; mais, pour l'instant, on ne voyait que du noir. La plume grinçait un peu. Bien que la nuit triomphât, que le vent commençât à souffler entre les merlons, apportant de mystérieux messages, bien que, à l'intérieur de la redoute, s'amoncelassent d'épaisses ténèbres et que l'air fût humide et ingrat : « En résumé », écrivait Giovanni Drogo, « je suis très content et je vais bien. »

De neuf heures du soir à l'aube, à chaque demie, une cloche tintait dans la quatrième redoute, à l'extrémité droite de la vallée, là où finissaient les remparts. Une petite cloche sonnait et, aussitôt, la dernière sentinelle appelait son camarade le plus voisin ; de soldat en soldat, et ainsi de suite jusqu'à l'extrémité opposée des remparts, de redoute en redoute, à travers le fort et aussi le long des bastions, l'appel courait dans la nuit : « Garde-à-vous ! Garde-à-vous ! » Les sentinelles ne mettaient aucun enthousiasme dans ce cri, elles le répétaient mécaniquement, avec d'étranges timbres de voix.

Giovanni Drogo, étendu tout habillé sur le petit lit, Giovanni Drogo envahi par une torpeur grandissante, entendait à intervalles réguliers retentir ce cri dans le lointain. « A...ou !... A...ou !... A...ou ! » C'est là tout ce qui parvenait jusqu'à lui. Le cri devenait de plus en plus fort, passait au-dessus de lui avec le maximum d'intensité, s'éloignait de l'autre côté, diminuant peu à peu jusqu'à se taire. Deux minutes plus tard, le voilà qui revenait, renvoyé, comme contre-épreuve, par le premier fortin de gauche. Drogo l'entendait encore qui s'approchait d'une allure lente et égale. « ... A...ou !... A...ou !... A...ou !... » Ce n'était que lorsque le cri était au-dessus de lui, répété par ses propres sentinelles, qu'il parvenait à distinguer les mots qui le composaient. Mais, très vite, le « garde-à-vous ! » se fondait de nouveau en une sorte de plainte qui mourait finalement, à la dernière sentinelle, contre le piédestal de roches.

Giovanni entendit quatre fois cet appel monter et quatre fois redescendre le chemin de ronde du fort jusqu'au point d'où il était parti. A la cinquième fois, Drogo n'eut conscience que d'une vague résonance qui le fit sursauter brièvement. Il lui vint à l'esprit qu'il n'était pas bien que l'officier chef de poste dormît ; le règlement le permettait à la condition que l'on ne se dévêtît point, mais presque tous les jeunes officiers du fort, par une sorte de fierté élégante, restaient éveillés toute la nuit, lisant, fumant des cigares, se rendant même, abusivement, visite l'un à l'autre et jouant aux cartes. Tronk, à qui Giovanni avait tout à l'heure demandé des renseignements, lui avait fait comprendre que la bonne règle était de rester éveillé.

Au lieu de cela, Giovanni Drogo, étendu sur le petit lit, hors du halo de la lampe à pétrole, fut, tandis qu'il songeait à sa vie, pris soudain par le sommeil. Et cependant, cette nuit-là justement — oh ! s'il l'avait su, peut-être n'eût-il pas eu envie de dormir — cette nuit-là, justement, commençait pour lui l'irréparable fuite du temps.

Jusqu'alors, il avait avancé avec l'insouciance de la première jeunesse, sur une route qui, quand on est enfant, semble infinie, où les années s'écoulent lentes et légères, si bien que nul ne s'aperçoit de leur fuite. On chemine placidement, regardant avec curiosité autour de soi, il n'y a vraiment pas besoin de se hâter, derrière vous personne ne vous presse, et personne ne vous attend, vos camarades aussi avancent sans soucis, s'arrêtant souvent pour jouer. Du seuil de leurs maisons, les grandes personnes vous font des signes amicaux et vous montrent l'horizon avec des sourires complices ; de la sorte, le cœur commence à palpiter de désirs héroïques et tendres, on goûte l'espérance des choses merveilleuses qui vous attendent un peu plus loin ; on ne les voit pas encore, non, mais il est sûr, absolument sûr qu'un jour on les atteindra.

Est-ce encore long ? Non, il suffit de traverser

ce fleuve, là-bas, au fond, de franchir ces vertes collines. Ne serait-on pas, par hasard, déjà arrivé ? Ces arbres, ces prés, cette blanche maison ne sont-ils pas peut-être ce que nous cherchions ? Pendant quelques instants, on a l'impression que oui, et l'on voudrait s'y arrêter. Puis l'on entend dire que, plus loin, c'est encore mieux, et l'on se remet en route, sans angoisse.

De la sorte, on poursuit son chemin, plein d'espoir ; et les journées sont longues et tranquilles, le soleil resplendit haut dans le ciel et semble disparaître à regret quand vient le soir.

Mais, à un certain point, presque instinctivement, on se retourne et l'on voit qu'un portail s'est refermé derrière nous, barrant le chemin de retour. Alors, on sent que quelque chose est changé, le soleil ne semble plus immobile, il se déplace rapidement ; hélas ! on n'a pas le temps de le regarder que, déjà, il se précipite vers les confins de l'horizon, on s'aperçoit que les nuages ne sont plus immobiles dans les golfes azurés du ciel, mais qu'ils fuient, se chevauchant l'un l'autre, telle est leur hâte ; on comprend que le temps passe et qu'il faudra bien qu'un jour la route prenne fin.

A un certain moment, un lourd portail se ferme derrière nous, il se ferme et est verrouillé avec la rapidité de l'éclair, et l'on n'a pas le temps de revenir en arrière. Mais, à ce moment-là, Giovanni Drogo dormait ignorant, et dans son sommeil, il souriait, comme le font les enfants.

Bien des jours passeront avant que Drogo ne comprenne ce qui est arrivé. Ce sera alors comme un réveil. Il regardera autour de lui, incrédule ; puis il entendra derrière lui un piétinement, il verra les gens, réveillés avant lui, qui courront inquiets et qui le dépasseront pour arriver avant lui. Il entendra les pulsations du temps scander avec précipitation la vie. Aux fenêtres, ce ne seront plus de riantes figures qui se pencheront, mais des visages immobiles et indifférents. Et s'il leur demande combien de route il reste encore à parcourir, on lui montrera bien encore d'un geste l'horizon, mais sans plus de bienveillance ni de gaieté. Cependant, il perdra de vue ses camarades, l'un demeuré en arrière, épuisé, un autre qui fuit en avant de lui et qui n'est plus maintenant qu'un point minuscule à l'horizon.

Passé ce fleuve, diront les gens, il y encore dix kilomètres à faire et tu seras arrivé. Au lieu de cela, la route ne s'achève jamais les journées se font toujours plus courtes, les compagnons de voyage toujours plus rares, aux fenêtres se tiennent des personnages apathiques et pâles qui hochent la tête.

Jusqu'à ce que Drogo reste complètement seul et qu'à l'horizon apparaisse la ligne d'une mer démesurée, immobile, couleur de plomb. Désormais, il sera fatigué, les maisons le long de la route auront presque toutes leurs fenêtres fermées et les rares personnes visibles lui répondront d'un geste désespéré : ce qui était bon était en arrière, très en arrière, et il est passé devant sans le savoir. Oh ! il est trop tard désormais pour revenir sur ses pas, derrière lui s'amplifie le grondement de la multitude qui le suit, poussée par la même illusion, mais encore invisible sur la route blanche et déserte.

A présent, Giovanni Drogo dort à l'intérieur de la troisième redoute. Il rêve et il sourit. Pour la dernière fois, viennent à lui, dans la nuit, les douces images d'un monde totalement heureux. Gare à lui s'il pouvait se voir lui-même, tel qu'il sera un jour, là où finit la route, arrêté sur la rive de la mer de plomb, sous un ciel gris et uniforme, et sans une maison, sans un arbre, sans un homme alentour, sans même un brin d'herbe, et tout cela depuis des temps immémoriaux.

VII

La cantine contenant les vêtements du lieutenant Drogo arriva finalement de la ville. Il y avait, entre autres, un manteau dernier cri, d'une élégance extraordinaire. Drogo l'endossa et se contempla, morceau par morceau, dans le petit miroir de sa chambre. Ce manteau lui sembla un lien vivant avec le lointain univers qui était le sien. Il pensa avec satisfaction que tout le monde le regarderait, tant l'étoffe était splendide et distinguée la coupe.

Il se dit qu'il ne fallait pas user ce manteau en le mettant pour le service, pendant les nuits de garde, entre les murs humides du fort. C'était même de mauvais augure de l'étrenner ici, c'était presque admettre qu'il n'aurait pas de meilleures occasions de le porter. Pourtant cela l'ennuyait de ne pas l'exhiber et, bien qu'il ne fît pas froid, il voulut le mettre tout au moins pour aller jusque chez le tailleur du régiment, à qui il en achèterait un d'un modèle courant.

Il quitta donc sa chambre et se mit à descendre les escaliers, observant, quand la lumière le permettait, l'élégance de son ombre. Cependant, au fur et à mesure que Giovanni descendait vers le cœur du fort, le manteau semblait en quelque sorte perdre sa splendeur première. Drogo s'aperçut en outre qu'il ne parvenait pas à le porter avec naturel ; ce manteau lui semblait quelque chose d'étrange, qui ne pouvait qu'attirer l'attention.

C'est pourquoi il fut heureux que les escaliers et les couloirs fussent presque déserts. Un capitaine, que, finalement, il rencontra, répondit à son salut sans même lui accorder un regard supplémentaire. Même les rares soldats qu'il croisa s'abstinrent de le suivre des yeux.

Il descendit par un escalier en colimaçon, taillé dans le corps même d'une muraille, et ses pas résonnaient au-dessus et au-dessous de lui comme s'il y avait eu d'autres gens. Les précieuses basques du manteau se balançaient, essuyant les murs couverts de blanches moisissures.

Drogo parvint de la sorte aux souterrains. En effet, l'atelier du maître-tailleur Prosdocimo était logé dans une cave. Un jour faible entrait, quand il faisait beau, par un soupirail au niveau du sol, mais, ce soir-là, on avait déjà allumé les lampes.

— Bonsoir, mon lieutenant, dit, dès qu'il le vit entrer, Prosdocimo, tailleur du régiment.

Dans la grande pièce, seules quelques rares zones étaient éclairées : une table sur laquelle écrivait un petit vieillard, le banc sur lequel travaillaient trois jeunes apprentis. Tout autour, pendaient, flasques, avec le sinistre abandon des suppliciés, des dizaines et des dizaines d'uniformes, de tuniques et de manteaux.

— Bonsoir, répondit Drogo. Je voudrais un manteau, un manteau pas trop cher, il suffit qu'il me dure quatre mois.

— Vous permettez que je regarde, dit le tailleur avec un sourire de méfiante curiosité, en saisissant un pan du manteau de Drogo et en l'attirant vers la lumière ; il avait le grade de maréchal des logis, mais sa qualité de maître-tailleur semblait lui donner droit à une certaine familiarité ironique avec ses supérieurs. Beau tissu, continua-t-il, vraiment... Je suppose que vous avez dû payer ça les yeux de la tête ; là-bas, en ville, ils ne plaisantent pas !

Il jeta sur l'ensemble un coup d'œil connaisseur, hocha la tête, ce qui fit trembloter ses joues pleines et sanguines.

— Dommage pourtant que...

— Dommage que quoi ?

— Dommage que le col soit aussi bas, ce n'est pas très militaire.

— Maintenant, on les porte comme ça, fit Drogo d'un ton supérieur.

— Les cols bas sont peut-être à la mode, dit le maître-tailleur, mais nous autres militaires, nous n'avons pas à nous occuper de la mode. La mode, pour nous, c'est le règlement et le règlement dit : « Le col du manteau serré autour du cou, haut de sept centimètres. » Vous croyez sans doute, mon lieutenant, en me voyant dans ce trou, que je suis un petit tailleur de rien du tout.

— Pourquoi ça ? dit Drogo. Mais pas du tout, au contraire.

— Vous croyez probablement que je suis un petit

tailleur de rien du tout. Mais beaucoup d'officiers me tiennent en haute estime, même en ville, et des officiers très comme il faut. Je ne suis ici que tout-à-fait—pro-vi-soi-re-ment, acheva-t-il en scandant ces derniers mots comme s'ils étaient de la dernière importance.

Drogo ne savait que dire.

— Je m'attends à partir d'un jour à l'autre, continuait Prosdocimo. N'était le colonel qui ne veut pas me laisser m'en aller... Mais qu'est-ce que vous avez à rire, vous autres ?

Dans la pénombre, en effet, on venait d'entendre le rire étouffé des trois apprentis ; maintenant, ils avaient la tête baissée, exagérément attentifs à leur travail. Le petit vieux continuait d'écrire, faisant bande à part.

— Qu'y avait-il donc de risible ? répéta Prosdocimo. Vous êtes des gaillards un peu trop délurés, vous autres. Un de ces jours, ça vous jouera un sale tour.

— Oui, dit Drogo, qu'y avait-il de risible ?

— Ce sont des idiots, dit le tailleur. Mieux vaut ne pas y faire attention.

A ce moment-là, on entendit un pas qui descendait l'escalier et un soldat parut. Prosdocimo était appelé en haut, chez le maréchal des logis du magasin d'habillement.

— Excusez-moi, mon lieutenant, fit le tailleur. C'est une question de service. Je reviens dans deux minutes.

Et il sortit derrière le soldat.

Drogo s'assit, se préparant à attendre. Les trois apprentis, une fois le patron parti, avaient interrompu leur travail. Le petit vieux leva finalement les yeux de sur ses paperasses, se mit debout et s'approcha en boitant de Giovanni.

— Vous l'avez entendu ? lui demanda-t-il avec un accent bizarre, faisant d'un geste allusion au tailleur qui venait de sortir. Vous l'avez entendu ? Savez-vous, mon lieutenant, depuis combien d'années il est au fort ?

— Non... je ne le sais pas...

— Quinze ans, mon lieutenant, quinze maudites années, et il continue de répéter l'histoire habituelle : « Je ne suis ici que provisoirement, d'un jour à l'autre, je m'attends à... »

A la table des apprentis, quelqu'un pouffa. Ce devait être là leur habituel sujet de moquerie. Le petit vieux n'y fit même pas attention.

— Et, au lieu de ça, il ne s'en ira jamais, dit-il. Lui, le colonel commandant le régiment, et beaucoup d'autres resteront ici jusqu'à ce qu'ils crèvent ; c'est une sorte de maladie, faites attention, mon lieutenant, vous qui êtes nouveau, vous qui venez à peine d'arriver, faites attention pendant qu'il est encore temps...

— Faire attention à quoi ?

— A vous en aller dès que vous le pourrez, attention de ne pas attraper leur folie.

— Je ne suis ici que pour quatre mois, dit Drogo, je n'ai pas la moindre intention de rester.

— Faites tout de même attention, mon lieutenant, dit le petit vieux. C'est le colonel Filimore qui a commencé. De grands événements se préparent, a-t-il commencé par dire, je me le rappelle très bien, il y a de cela dix-huit ans. Oui « des événements », disait-il. C'est là le mot qu'il a employé. Il s'est mis dans la tête que le fort était très important, beaucoup plus important que tous les autres, qu'en ville ils ne comprenaient rien.

Il parlait lentement, le silence avait le temps de se glisser entre chacun de ses mots.

— Il s'est mis en tête que le fort est très important et que quelque chose doit arriver.

Drogo sourit.

— Qu'il arrive quoi ? Vous voulez dire une guerre?

— Qui sait, peut-être même une guerre.

— Une guerre du côté du désert ?

— Du côté du désert, probablement, confirma le petit vieux.

— Mais qui ? Qui est-ce qui pourrait venir ?

— Comment voulez-vous que je le sache ? Personne ne viendra, bien entendu. Mais le colonel a étudié les cartes, il dit que les Tartares sont toujours là, il dit qu'un restant de l'ancienne armée sillonne la région en tous sens.

Dans la pénombre, on entendit ricaner stupidement les trois apprentis.

— Et ils sont encore ici à attendre, poursuivit le petit vieux. Prenez le colonel, le capitaine Stizione, le capitaine Ortiz, le lieutenant-colonel : tous les ans, il doit arriver quelque chose, et, de la sorte, jusqu'à ce qu'on les mette à la retraite...

Il s'interrompit, pencha la tête de côté, comme pour écouter.

— Il me semblait entendre des pas, dit-il.

Mais c'était une idée qu'il se faisait.

— Je n'entends rien, fit Drogo.

— Prosdocimo aussi ! dit le petit vieux. Il est simple margis, tailleur du régiment, mais il s'est mis avec eux. Il attend, lui aussi, ça fait déjà quinze ans... Mais, je le vois, vous n'êtes pas convaincu, mon lieutenant, vous vous taisez et pensez que tout ça ce sont des histoires. Faites attention, ajouta-t-il presque suppliant, c'est moi qui vous le dis, vous vous laisserez suggestionner, et vous finirez, vous aussi, par rester : il n'y a qu'à regarder vos yeux.

Drogo se taisait, il lui semblait peu digne d'un officier de se confier à un aussi pauvre homme.

— Mais vous, dit-il, vous, que faites-vous alors ?

— Moi ? fit le petit vieux. Moi, je suis son frère, je reste ici pour travailler avec lui.

— Son frère ? Son frère aîné ?

— Oui, dit en souriant le petit vieux, son frère aîné. Moi aussi, jadis, j'étais militaire, et puis je me suis cassé une jambe et je ne suis plus bon qu'à ça.

Dans le silence du souterrain, Drogo entendit alors les palpitations de son propre cœur qui s'était mis à battre violemment. Ainsi, ce petit vieux enterré dans une cave pour y faire des comptes, cette obscure et humble créature attendait, elle aussi, un destin héroïque ? Giovanni le regardait dans les yeux et l'autre hocha légèrement la tête, avec une amère mélancolie, comme pour lui dire que oui, il n'y avait vraiment pas de remède : nous sommes ainsi faits, semblait-il dire, et jamais plus nous ne guérirons.

Peut-être parce qu'en un endroit quelconque des escaliers on avait ouvert une porte, on entendait maintenant, filtrées par les murailles, de lointaines voix humaines, d'origine indéfinissable ; de temps à autre, elles se taisaient, laissant un vide, puis elles émergeaient de nouveau, allaient et venaient, comme le souffle calme du fort.

Maintenant, Drogo comprenait finalement. Il

regardait fixement les ombres multiples des uniformes suspendus, qui tremblaient à chaque oscillation des lampes, et il pensa qu'à ce moment précis le colonel, dans le secret de son bureau, avait ouvert la fenêtre vers le nord. Il en était sûr : à cette heure qu'attristaient tellement l'automne et l'obscurité, le commandant du fort regardait vers le septentrion, vers les noirs abîmes de la vallée.

C'est du désert du nord que devait leur venir leur chance, l'aventure, l'heure miraculeuse qui sonne une fois au moins pour chacun. A cause de cette vague éventualité qui, avec le temps, semblait se faire toujours plus incertaine, des hommes faits consumaient ici la meilleure part de leur vie.

Ils ne s'étaient pas adaptés à l'existence commune, aux joies de tout le monde, au destin moyen ; côte à côte, ils vivaient avec la même espérance, sans jamais parler de celle-ci, parce qu'ils n'en étaient pas conscients ou, tout simplement, parce qu'ils étaient des soldats, avec la jalouse pudeur de leur âme.

Peut-être, aussi, Tronk ; probablement Tronk. Tronk observait scrupuleusement les articles du règlement, une discipline mathématique, il avait l'orgueil de ses responsabilités scrupuleusement assumées, et s'imaginait que cela lui suffisait. Pourtant si on lui avait dit : « Ce sera toujours ainsi tant que tu vivras, tout semblable, jusqu'au bout », lui aussi se serait réveillé. « Impossible, eût-il dit. Il faudra bien qu'advienne quelque chose de différent, quelque chose de vraiment digne, qui permette de dire : maintenant, même si c'est fini, tant pis. »

Drogo avait compris leur facile secret et il pensa avec soulagement qu'il était en dehors. spectateur non contaminé. Dans quatre mois, grâce à Dieu, ils les quitterait pour toujours. Les obscurs attraits de la vieille bâtisse s'étaient ridiculement évanouis. Voilà ce qu'il pensait. Mais pourquoi le petit vieux continuait-il de le regarder fixement avec cette expression ambiguë ? Pourquoi Drogo éprouvait-il le désir de siffloter un peu, de boire du vin, de sortir au grand air ? Peut-être pour se prouver à lui-même qu'il était vraiment libre et tranquille ?

VIII

Et voici les nouveaux amis de Drogo, les lieutenants Carlo Morel, Pietro Angustina, Francesco Grotta, Max Lagorio. Ils sont assis avec lui au mess, vide à cette heure. Seuls demeurent un serveur appuyé au chambranle d'une lointaine porte et les portraits des anciens colonels, alignés sur les murs, plongés dans la pénombre. Sur la table, il y a huit bouteilles vides, dans le désordre d'un repas qui s'achève.

Ils sont tous plus ou moins surexcités, un peu par le vin, un peu par la nuit, et quand leurs voix se taisent, on entend au dehors la pluie.

Ils fêtent le départ du comte Max Lagorio qui s'en va demain, après deux ans de fort.

— Angustina, dit Lagorio, si tu viens, toi aussi, je t'attendrai.

Il dit cela de son habituel ton badin, mais on comprenait qu'il parlait sérieusement.

Angustina, lui aussi, avait terminé ses deux ans de service, mais il ne voulait pas partir. Angustina était pâle, il était assis avec son éternel air détaché, comme s'il ne s'intéressait pas le moins du monde à eux, comme s'il avait été là tout à fait par hasard.

— Angustina, répéta Lagorio presque dans un cri, aux confins de l'ivresse. Si tu viens, toi aussi, je t'attendrai, je suis disposé à t'attendre trois jours.

Le lieutenant Angustina ne répondit pas, mais se contenta de sourire légèrement, avec patience. Son uniforme bleu clair, passé au soleil, tranchait sur les autres par une élégance indéfinissable et négligée.

Lagorio se tourna vers les autres, vers Morel, vers Grotta, vers Drogo.

— Dites-le-lui, vous aussi, fit-il en posant la main droite sur l'épaule d'Angustina. Ça lui ferait du bien de venir en ville.

— Ça me ferait du bien ? demanda Angustina, comme poussé par la curiosité.

— En ville, tu serais mieux, voilà tout. Comme tout le monde, du reste, je crois.

— Mais je vais très bien, fit Angustina d'un ton sec. Je n'ai pas besoin de soins.

— Je n'ai pas dit que tu avais besoin de soins. J'ai dit que cela te ferait du bien.

Ainsi parla Lagorio et l'on entendit, au dehors, dans la cour, tomber la pluie. Angustina lissait avec deux doigts ses courtes moustaches, il était ennuyé, c'était visible.

— Tu ne penses donc pas à ta mère, reprit Lagorio, à tous les tiens... Songe un peu quand ta mère...

— Ma mère saura bien s'adapter, répondit Angustina d'un ton plein d'amers sous-entendus.

Lagorio comprit et changea de conversation :

— Dis, Angustina, tu t'imagines arrivant après-demain chez Claudina ? Ça fait deux ans qu'elle ne t'a vu...

— Claudina, fit Angustina avec dégoût. Quelle Claudina ? Je ne m'en souviens pas.

— C'est ça, tu ne t'en souviens pas ! Ce soir, on ne peut parler de rien avec toi, voilà ce qu'il y a. Ce n'est tout de même pas un mystère, non ? On vous voyait ensemble tous les jours.

— Ah ! dit Angustina pour être aimable, maintenant je me souviens. Oui, c'est vrai, Claudina, elle ne doit même plus se rappeler que j'existe...

— Ah non ! ne fais pas le modeste à présent, on sait bien que toutes les femmes sont folles de toi ! s'exclama Grotta, et Angustina le regarda fixement, sans sourciller, visiblement frappé par une telle platitude.

Ils se turent. Au dehors, dans la nuit, sous la pluie automnale, les sentinelles marchaient. L'eau crépitait sur les terrasses, gargouillait dans les gouttières, ruisselait le long des murs. Dehors, il faisait nuit noire et Angustina eut une petite quinte de toux. Il semblait étrange qu'un son aussi désagréable pût sortir d'un jeune homme aussi raffiné. Mais il toussait avec une savante discrétion, baissant chaque fois la tête, comme pour montrer qu'il n'y pouvait rien, que c'était au fond une chose qui lui était étrangère, mais que, par correction, il était forcé de subir. Il transformait de la sorte sa toux en une sorte de tic capricieux, digne d'être imité.

Pourtant, il s'était fait un silence pénible, que Drogo crut nécessaire de rompre.

— Dis-moi, Lagorio, demanda-t-il, à quelle heure pars-tu demain ?

— Vers dix heures, je crois. Je voulais partir plus tôt, mais je dois encore prendre congé du colonel.

— Le colonel se lève à cinq heures, à cinq heures été comme hiver, ce n'est certes pas lui qui te mettra en retard.

Lagorio se mit à rire :

— Mais c'est plutôt moi qui ne me lève pas à cinq heures. Du moins pour ce dernier jour, je veux en prendre à mon aise, rien ne me presse.

— Alors, remarqua Morel avec envie, après-demain, tu seras arrivé.

— Cela me paraît tout à fait impossible, dit Lagorio, je vous le jure.

— Qu'est-ce qui te paraît impossible ?

— L'idée que je serai en ville dans deux jours, et qui plus est, ajouta-t-il après un temps, pour toujours.

Angustina était pâle, à présent il ne lissait plus ses petites moustaches, mais regardait fixement devant lui, dans la pénombre. Maintenant, ils sentaient peser sur la salle la nuit, l'heure où la peur suinte des murs décrépis et où le malheur se fait douceur, où l'âme bat orgueilleusement des ailes au-dessus de l'humanité endormie. Les yeux vitreux des colonels, sur les grands portraits, exprimaient d'héroïques présages. Et, au dehors, toujours la pluie.

— Peux-tu t'imaginer ça ? dit Lagorio impitoyable à Angustina. Après-demain soir, à cette heure-ci, je serai peut-être chez Consalvi. Du beau monde, de la musique, de jolies femmes, ajouta-t-il, répétant une vieille plaisanterie.

— Belle distraction goûts ! répondit Angustina avec mépris.

— Ou bien, continuait Lagorio avec les meilleures intentions, uniquement pour convaincre son ami, oui, peut-être est-ce mieux, j'irai chez tes oncles Tron, on y voit des gens sympathiques et « l'on y joue en grands seigneurs », comme dirait Giacomo.

— Ah oui ! Belle distraction ! dit Angustina.

— Quoi qu'il en soit, fit Lagorio, après-demain, je serai en train de m'amuser et toi, tu seras de service. Moi, je me promènerai par la ville (et il riait à cette idée) et toi, tu feras ton rapport au capitaine. « Rien à signaler, la sentinelle Martini a été prise d'un malaise. » A deux heures, le sergent te réveillera : « Mon lieutenant, c'est l'heure de l'inspection. » Il te réveillera à deux heures, tu peux en être sûr, et à la même heure, très exactement, je serai, moi, couché avec Rosaria...

C'étaient là les sottes et inconscientes cruautés de Lagorio, auxquelles ils étaient tous habitués. Mais derrière ses paroles, l'image de la ville lointaine apparut à ses camarades, avec ses palais, ses églises immenses, ses hautes coupoles, ses romantiques avenues le long du fleuve. A cette heure-ci, se disaient-ils, il devait y avoir un léger brouillard et les réverbères ne jetaient qu'une lumière jaunâtre, à cette heure-ci, il y avait des couples dans les rues solitaires et sombres, les cochers criaient devant les portes illuminées de l'Opéra, on entendait des violons et des rires, des voix de femmes, venues des portes cochères obscures des immeubles riches, les fenêtres étaient illuminées jusqu'à d'incroyables hauteurs, dans le labyrinthe des toits ; la ville fascinante, riche de tous leurs rêves de jeunesse et de ses aventures encore à connaître.

Tous regardaient maintenant, sans en avoir l'air, le visage d'Angustina, lourd d'une fatigue inavouée ; ils n'étaient pas là, ils le comprenaient, pour fêter le départ de Lagorio, mais en réalité pour faire leurs adieux à Angustina, car celui-ci seul allait rester. L'un après l'autre, après Lagorio, une fois leur tour venu, les autres aussi s'en iraient, Grotta, Morel et, bien avant encore, Giovanni Drogo, qui avait à peine quatre mois à tirer. Angustina, par contre, resterait, ils n'arrivaient pas à comprendre pourquoi, mais ils le savaient bien. Et, bien qu'ils sentissent obscurément que cette fois encore il obéissait à son ambitieuse règle de vie, ils n'étaient plus capables de l'envier ; cela leur semblait, au fond, une folie absurde.

Et pourquoi Angustina, ce maudit snob, sourit-il encore maintenant ? Pourquoi, malade comme il est, ne court-il pas faire ses bagages, pourquoi ne se prépare-t-il pas au départ ? Pourquoi, au lieu de cela, regarde-t-il fixement devant lui, dans la pénombre ? A quoi pense-t-il ? Quel secret orgueil le retient au fort ? Lui aussi, donc ? Regarde-le, Lagorio, toi qui es son ami, regarde-le bien tandis qu'il en est temps encore, fais en sorte que son visage reste gravé dans ton esprit, tel qu'il est ce soir, le nez pincé, les yeux éteints, le sourire las, peut-être un jour comprendras-tu pourquoi il n'a pas voulu te suivre, peut-être sauras-tu ce qu'il y avait derrière ce front immobile.

Lagorio partit le matin suivant. Ses deux chevaux l'attendaient, avec son ordonnance, devant la porte du fort. Le ciel était couvert, mais il ne pleuvait pas.

Lagorio avait un visage satisfait. Il était sorti de sa chambre sans lui accorder même un coup d'œil, et, lorsqu'il fut dehors, il ne se retourna pas non plus pour regarder le fort. Les murailles se dressaient au-dessus de lui, sombres et hostiles, la sentinelle qui était à la porte était immobile, sur la vaste esplanade il n'y avait pas âme qui vive. Des coups de marteau réguliers venaient d'une petite cabane adossée au fort.

Angustina était descendu dire adieu à son camarade. Il flatta le cheval.

— C'est toujours un bel animal, dit-il.

Lagorio s'en allait, descendait vers leur ville à tous deux, vers la vie facile et joyeuse. Lui, au contraire, restait, et il regardait avec des yeux impénétrables son camarade qui s'affairait autour des chevaux ; et il s'efforçait de sourire.

— Il me semble encore impossible que je parte, disait Lagorio. Ce fort était une obsession pour moi.

— Va voir ma famille, quand tu arriveras, fit Angustina sans lui prêter attention. Dis à ma mère que je vais bien.

— Ne t'en fais pas, répondit Lagorio.

Et, après un temps, il ajouta :

— Tu sais, je regrette pour hier soir. Nous sommes vraiment différents, et, ce que tu penses, moi, au fond, je ne l'ai jamais compris. Tes idées semblent un peu folles, mais, je ne sais pas, c'est peut-être toi qui as raison.

— Je n'y songeais même plus, fit Angustina, en posant la main droite sur l'encolure du cheval et en regardant le sol. Je n'étais pas le moins du monde fâché.

C'étaient deux hommes différents, qui aimaient

des choses différentes, que séparaient l'intelligence et la culture. On s'étonnait même de les voir toujours ensemble, telle était la supériorité d'Angustina. Pourtant, ils étaient amis ; Lagorio était le seul entre tous qui comprît instinctivement Angustina, lui seul souffrait pour son camarade, et il avait presque honte de partir devant lui, comme si ç'avait été une vilaine ostentation, et il ne parvenait pas à se décider.

— Si tu vois Claudina, dit encore Angustina d'une voix neutre, salue-la... Ou, plutôt non, il vaut mieux que tu ne dises rien.

— Oh ! mais c'est elle qui me posera des questions, si je la vois. Elle sait bien que tu es ici.

Angustina resta silencieux.

— Alors, dit Lagorio, qui avait fini de fixer, avec l'aide de l'ordonnance, son sac de voyage, il vaut peut-être mieux que je me mette en route, sinon j'arriverai tard. Je te salue.

Il serra la main de son ami, et puis, d'un geste élégant, il sauta en selle.

— Adieu, Lagorio, cria Angustina. Bon voyage !

Lagorio, droit sur sa selle, le regardait ; il n'était pas très intelligent, mais une voix obscure lui disait que, peut-être, ils ne se reverraient plus.

Un coup d'éperon et le cheval s'ébranla. Ce fut alors qu'Angustina leva légèrement la main droite, pour faire un signe, comme pour rappeler son camarade, comme pour lui demander de rester un moment encore, comme s'il avait une dernière chose à lui dire. Lagorio, du coin de l'œil, vit le geste et s'arrêta à une vingtaine de mètres.

— Qu'y a-t-il ? demanda-t-il. Tu voulais quelque chose ?

Mais Angustina baissa la main, reprenant sa pose indifférente de tout à l'heure.

— Rien, rien, répondit-il. Pourquoi ?

— Ah ! je croyais... dit Lagorio, perplexe.

Et il s'éloigna à travers l'esplanade, se balançant sur sa selle.

IX

Les terrasses du fort étaient blanches, de même que la vallée du Sud et le désert du Nord. La neige recouvrait entièrement les glacis, formant une fragile bordure le long des merlons, glissant des avant-toits avec de petits bruits sourds ; de temps en temps, elle se détachait du flanc des précipices, sans raison apparente, et d'horribles masses s'effondraient dans les crevasses fumantes, en grondant.

Ce n'était pas la première neige, mais la troisième ou la quatrième, et elle était là pour indiquer que plusieurs jours avaient passé.

— Il me semble que c'était hier que je suis arrivé au fort, disait Drogo.

Et il en était vraiment ainsi. Cela semblait hier, et pourtant le temps avait tout de même passé, à son rythme immuable, identique pour tous les hommes, ni plus lent pour ceux qui sont heureux, ni plus rapide pour les malchanceux.

Ni vite, ni lentement, trois autres mois avaient passé. Noël s'était déjà évanoui dans le lointain, quant à la nouvelle année, elle était venue, elle aussi, apportant pour quelques instants, aux hommes, d'étranges espérances. Giovanni Drogo se préparait déjà à partir. Il ne manquait plus que la formalité de la visite médicale, et, ainsi que le lui avait promis le commandant Matti, il pourrait s'en aller. Il continuait de se répéter que c'était là un événement faste, qu'une vie facile l'attendait en ville, une vie amusante et peut-être heureuse, et pourtant il n'était pas content.

Vers le soir du 10 janvier, il pénétra dans le bureau du médecin, au dernier étage du fort. Le médecin s'appelait Ferdinando Rovina, il avait plus de cinquante ans, un visage mou et intelligent, un air de lassitude résignée, et il portait non l'uniforme, mais une longue jaquette sombre de magistrat. Il était assis à sa table, avec, devant lui, des livres et des papiers ; néanmoins, Drogo, entrant presque à l'improviste, comprit sur-le-champ que le médecin était en train de ne rien faire ; il était assis, immobile, pensant à Dieu sait quoi.

La fenêtre donnait sur la cour, d'où montait un bruit de pas cadencés, car il faisait déjà sombre et la relève de la garde commençait. De cette fenêtre, on apercevait un pan du mur d'en face et le ciel extraordinairement serein. Les deux hommes se saluèrent et Giovanni se rendit rapidement compte que le médecin était parfaitement au courant de son cas.

— Quand les corbeaux font leurs nids, les hirondelles s'en vont, dit Rovina, en manière de plaisanterie, tout en extrayant d'un tiroir un formulaire imprimé.

— Vous ne savez peut-être pas, docteur, que c'est par erreur que je suis venu ici, répondit Drogo.

— Tout le monde est venu ici par erreur, mon cher garçon, fit le médecin faisant pathétiquement allusion à lui-même. Et même ceux qui y sont restés.

Drogo ne comprenait pas très bien et il se contenta de sourire.

— Oh ! je ne vous fais pas de reproches ! Vous avez raison, vous autres jeunes, de ne pas moisir ici, continua Rovina. Là-bas, en ville, il y a beaucoup plus de chances. J'y pense parfois, moi aussi, et si je pouvais...

— Pourquoi ? demanda Drogo. Ne pourriez-vous pas vous faire muter ?

Le docteur agita les mains, comme s'il venait d'entendre une énormité.

— Me faire muter ?

Et il rit de bon cœur.

— Au bout de vingt-cinq ans que je suis ici ? Trop tard, mon garçon, il fallait y penser plus tôt.

Il eût peut-être désiré que Drogo le contredît encore, mais comme le lieutenant garda le silence, il en vint au sujet : il invita Giovanni à s'asseoir, se fit donner ses nom et prénoms, qu'il inscrivit au bon endroit, sur le formulaire réglementaire.

— Bien, conclut-il. Vous souffrez de troubles cardiaques, n'est-ce pas ? Votre organisme ne résiste pas à cette altitude, n'est-ce pas ? Est-ce que ça vous va ?

— Ça me va très bien, acquiesça Drogo. Vous êtes le meilleur juge pour ce genre de choses.

— Et si je vous donnais un congé de convalescence, pendant que nous y sommes ? fit le médecin d'un air complice.

— Je vous remercie, dit Drogo, mais je ne voudrais pas exagérer.

— Comme vous voulez. Ainsi, pas de congé. Moi, à votre âge, je n'avais pas de tels scrupules.

Giovanni, au lieu de s'asseoir, s'était approché de la fenêtre et, de temps à autre, il regardait en bas les soldats alignés dans la neige. Le soleil venait à peine de se coucher, une pénombre bleutée se répandait entre les remparts.

— Plus de la moitié d'entre vous veut s'en aller au bout de trois ou quatre mois, poursuivait le médecin avec une certaine tristesse, lui aussi maintenant enveloppé par l'ombre, à tel point qu'on ne comprenait pas comment il y voyait pour écrire. Moi aussi, si je pouvais revenir en arrière, je ferais comme vous... Mais, après tout, c'est dommage.

Drogo écoutait sans intérêt, tout occupé qu'il était à regarder par la fenêtre. Et alors, il lui parut voir les murs jaunâtres de la cour se dresser très haut vers le ciel de cristal, et au-dessus d'eux, au delà d'eux, plus haut encore, des tours solitaires, des murailles obliques couronnées de neige, des glacis et des fortins aériens, qu'il n'avait jamais remarqués auparavant. Une lueur claire venue de l'Occident les éclairait encore et, de la sorte, ils resplendissaient mystérieusement d'une vie impénétrable. Jamais Drogo ne s'était aperçu que le fort était aussi complexe et aussi immense. Il vit une fenêtre (ou une meurtrière ?) qui s'ouvrait sur la vallée, à une hauteur presque incroyable. Là-bas, il devait y avoir des hommes qu'il ne connaissait pas, peut-être même un officier semblable à lui, dont il eût pu être l'ami. Il vit les ombres géométriques d'abîmes s'étendant entre les bastions, il vit de frêles passerelles suspendues entre les toits, d'étranges portes condamnées le long des murailles, de vieilles canardières bloquées, de longues arêtes arrondies par les ans.

Il vit, entre les lanternes et les torches, sur le fond livide de la cour, des soldats immenses et fiers dégainer leurs baïonnettes. Sur la blancheur de la neige, ils formaient de noires rangées, immobiles, comme s'ils eussent été de fer. Ils étaient très beaux et se tenaient comme pétrifiés, cependant qu'une trompette commençait de sonner. Les notes claires se répandaient dans l'air, vives et brillantes, et vous allaient droit au cœur.

— Vous partez tous l'un après l'autre, murmurait Rovina dans la pénombre. Il finira par ne plus rester que nous autres, les vieux. Cette année...

La trompette sonnait en bas dans la cour, avec un son pur de voix humaine et métallique. Les notes palpitèrent encore avec un élan guerrier. Quand elles se turent, elles laissaient derrière elles un charme inexprimable, qui parvint jusqu'au bureau du médecin. Le silence devint tel qu'on put entendre un pas allongé faire crisser la neige gelée. Trois notes d'une extrême beauté déchirèrent le ciel.

— Qui y a-t-il parmi vous autres ? continuait de récriminer le docteur. Le lieutenant Angustina, le seul. Même Morel, je parie que l'année prochaine il faudra qu'il descende en ville pour se faire soigner. Lui aussi, il finira par être malade...

— Morel ?

Drogo ne pouvait faire autrement que répondre, pour montrer qu'il écoutait.

— Morel, malade ? demanda-t-il, n'ayant saisi que les dernières paroles.

— Oh non! fit le docteur. C'est une sorte de métaphore.

Même à travers la fenêtre fermée, on entendait les pas secs du colonel. Dans le crépuscule, les baïonnettes alignées formaient autant de raies argentées. Des sons de trompette venaient de distances impossibles à évaluer, peut-être la sonnerie de tout à l'heure renyée vopar l'enchevêtrement des murailles.

Le docteur se taisait. Puis, se levant, il dit :

— Voici votre certificat. Maintenant, je vais le faire signer par le commandant.

Il plia la feuille et la mit dans une chemise, prit au porte manteau sa capote et une grosse toque de fourrure.

— Est-ce que vous venez aussi, lieutenant ? demanda-t-il. Qu'êtes-vous donc en train de regarder ?

Les gardes montantes avaient déposé leurs armes et se dirigeaient, détachement par détachement, vers les diverses parties du fort. Sur la neige, la cadence de leurs pas faisait un bruit sourd, mais que survolait la musique des fanfares. Puis, aussi invraisemblable que cela pût paraître, les murs, déjà assiégés par la nuit, s'élevèrent lentement vers le zénith, et de leur extrême limite, bordée de bandes de neige, commencèrent à se détacher des nuages blancs, à la forme de hérons, qui naviguaient dans les espaces sidéraux.

Le souvenir de sa ville passa dans l'esprit de Drogo, une image pâle, rues bruyantes sous la pluie, statues de plâtre, humidité de casernes, lugubres cloches, visages las et défaits, après-midi sans fin, plafonds gris de poussière.

Ici, par contre, s'avançait la grande nuit des

montagnes, avec ses nuages en fuite au-dessus du fort, miraculeux présages. Et du Nord, du Septentrion invisible derrière les remparts, Drogo sentait peser son destin.

Le docteur était déjà sur le seuil.

— Docteur, docteur, dit Drogo balbutiant presque. Je me porte bien.

— Je le sais, répondit le médecin. Que pensiez-vous donc ?

— Je me porte bien, répéta Drogo reconnaissant à peine sa propre voix. Je me porte bien et je veux rester.

— Rester ici, au fort ? Vous ne voulez plus partir ? Que vous est-il arrivé ?

— Je ne sais pas, dit Giovanni. Mais je ne peux pas partir.

— Oh ! s'exclama Rovina en s'approchant. Si ce n'est pas une plaisanterie, je vous jure que je suis content.

— Non, ce n'est pas une plaisanterie, fit Drogo qui sentait son exaltation se transformer en une étrange douleur, proche de la félicité. Docteur, jetez ce papier.

X

C'est ainsi que cela devait se passer et tout était peut-être déjà établi depuis longtemps, c'est-à-dire depuis ce jour lointain où Drogo se pencha pour la première fois, avec Ortiz, sur le bord du plateau et où le fort lui apparut dans la pesante splendeur de midi.

Drogo a décidé de rester, retenu au fort par un désir, mais aussi par autre chose : l'héroïque pensée n'eût peut-être pas suffi à une aussi grande décision. Pour le moment, il croit avoir fait une chose noble et, de bonne foi, il s'en étonne, se découvrant meilleur qu'il ne le croyait. C'est seulement plusieurs mois plus tard que, regardant derrière lui, il reconnaîtra les misérables choses qui le lient au fort

Les trompettes auraient pu sonner, on aurait pu entendre des chants guerriers, d'inquiétants messages auraient pu venir du Nord, s'il n'y avait eu que cela, Drogo serait parti quand même ; mais il y avait déjà en lui la torpeur des habitudes, la vanité militaire, l'amour domestique pour les murs quotidiens. Au rythme monotone du service, quatre mois avaient suffi pour l'engluer.

Le tour de garde, qui, les premières fois, lui paraissait une corvée insupportable, était devenu une habitude; peu à peu, il avait appris à bien connaître les règlements, les façons de s'exprimer, les manies des supérieurs, la topographie des redoutes, l'emplacement des sentinelles, les coins abrités du vent, le langage des trompettes. Il retirait un plaisir particulier de la maîtrise du service, appréciant l'estime croissante que lui portaient soldats et sous-officiers ; jusqu'à Tronk qui s'était aperçu combien Drogo était sérieux et scrupuleux et qui s'était presque pris d'affection pour lui.

Habitude aussi étaient devenus les collègues : maintenant il les connaissait si bien que même leurs plus subtils sous-entendus ne le prenaient pas en défaut et, le soir, ils s'attardaient longuement ensemble à bavarder des événements de la ville qui prenaient, avec la distance, une importance démesurée. Habitude, la table confortable et bonne, l'accueillante cheminée du mess des officiers, où il y avait du feu jour et nuit ; et l'empressement de l'ordonnance, un bon diable nommé Geronimo, qui avait, peu à peu, appris à connaître ses désirs particuliers.

Habitude, les promenades faites de temps en temps avec Morel au village le plus proche ; deux longues heures à cheval à travers une vallée étroite qu'il connaissait maintenant par cœur, une auberge où l'on voyait enfin quelques visages nouveaux, où l'on préparait des repas somptueux et où l'on entendait le rire frais de femmes que l'on pouvait courtiser.

Habitude, les courses effrénées à cheval dans la plaine, derrière le fort, les compétitions avec les camarades, les après-midi de repos, et les patientes parties d'échecs, le soir, qui se terminaient bruyamment, souvent par la victoire de Drogo (mais le capitaine Ortiz lui avait dit : « Il en est toujours ainsi, au début, les nouveaux arrivés gagnent toujours. C'est la même chose pour tout le monde, on s'imagine que l'on est vraiment fort, mais ce n'est qu'une question de nouveauté, les autres aussi finissent par apprendre notre système et, un beau jour, on n'arrive plus à rien. »)

Habitude, pour Drogo, la chambre, les calmes lectures nocturnes, la lézarde qu'il y avait dans le plafond au-dessus de son lit et qui ressemblait à une tête de Turc, les clapotis de la citerne, devenus familiers avec le temps, le creux fait par son corps dans le matelas, les couvertures si peu hospitalières les premiers jours et à présent dociles et serviables, le mouvement, exécuté maintenant instinctivement de la bonne longueur, pour éteindre la lampe à pétrole ou pour poser le livre sur la table de nuit. Il savait maintenant comment il devait se placer, pour se raser, le matin, devant la glace, afin que la lumière lui éclairât le visage sous un bon angle, comment verser l'eau du broc dans la cuvette sans en répandre par terre, comment faire céder la serrure rebelle d'un tiroir, en pesant un peu sur la clé.

Habitude, les craquements de la porte pendant les périodes pluvieuses, le point que frappait d'ordinaire le rayon de la lune quand il entrait par la fenêtre et son lent déplacement avec la fuite des heures, le va-et-vient dans la chambre au-dessous de la sienne quand, toutes les nuits, à une heure et demie exactement, la vieille blessure à la jambe droite du lieutenant-colonel Nicolosi se réveillait mystérieusement, interrompant le sommeil de celui-ci.

Toutes ces choses étaient désormais devenues siennes et les quitter lui eût fait de la peine. Drogo, pourtant, ne savait pas cela, il ne soupçonnait pas l'effort que lui eût coûté son départ, ni que la vie du fort engloutissait les jours l'un après l'autre, des jours tous pareils, avec une vitesse vertigineuse. Hier et avant-hier étaient semblables, il n'était plus capable de les distinguer l'un de l'autre ; un événement vieux de trois jours ou de vingt jours finissait par lui sembler également lointain. Ainsi, se déroulait à son insu la fuite du temps.

Mais, pour l'instant, le voici, arrogant et insouciant, sur les glacis de la quatrième redoute, par une nuit pure et glaciale. A cause du froid, les sentinelles marchaient sans arrêt et leurs pas faisaient crisser la neige gelée. Une grande lune très blanche illuminait le monde. Le fort, les rochers, la vallée pierreuse, au nord, étaient inondés d'une lumière merveilleuse, même le rideau de brumes qui stagnait à l'extrême nord resplendissait.

En bas, dans la chambre de l'officier de service, à l'intérieur de la redoute, la lampe était restée allumée, la flamme oscillait légèrement, faisant danser les ombres. Drogo, quelques instants plus tôt, avait commencé d'écrire une lettre, il devait répondre à Maria, la sœur de son ami Vescovi, qui un jour peut-être serait sa femme. Mais, après avoir écrit deux lignes, il s'était levé, il ne savait même pas pourquoi, et était monté sur le toit, pour regarder.

La redoute formait le point le plus bas des fortifications, sa situation correspondant au plus grand creux de la vallée. A cet endroit-là, il y avait, dans la muraille, la porte qui faisait communiquer les deux États. Les battants massifs bardés de fer ne s'ouvraient plus depuis des temps immémoriaux. Et la garde de la Nouvelle Redoute sortait et entrait chaque jour par une petite poterne, à peine de la largeur d'un homme et gardée par une sentinelle.

Pour la première fois, Drogo était de garde à la quatrième redoute. A peine fut-il dehors, il regarda les rochers surplombant la vallée à droite, entièrement recouverts d'une croûte de glace et scintillant sous la lune.

Des bouffées de vent commençaient à transporter

à travers le ciel de petits nuages blancs et agitaient le manteau de Drogo, le manteau neuf qui signifiait tant de choses pour lui.

Immobile, il regardait fixement les barrières de rochers qui étaient en face de lui, les impénétrables lointains du Nord, et les basques de son manteau claquaient comme un drapeau, flottant impétueusement. Drogo avait le sentiment d'être, cette nuit-là, d'une fière et martiale beauté, debout sur le rebord de la terrasse, son splendide manteau agité par le vent. A côté de lui, Tronk, engoncé dans une vaste capote, n'avait même pas l'air d'un soldat.

— Dites-moi donc, Tronk, demanda Giovanni d'un air faussement embarrassé. Est-ce une impression, mais il me semble que, cette nuit, la lune est beaucoup plus grande que d'habitude ?

— Je ne crois pas qu'elle soit plus grande, mon lieutenant, dit Tronk. Elle fait toujours cette impression, ici, au fort.

Les voix résonnaient considérablement, comme si l'air eût été de verre. Tronk, voyant que le lieutenant n'avait rien d'autre à lui dire, s'en alla le long du chemin de ronde, pour satisfaire son éternel besoin de contrôler comment s'effectuait le service.

Drogo resta seul et se sentit pratiquement heureux. Il goûtait avec orgueil la décision qu'il avait prise de rester, l'amère satisfaction de renoncer à de petites joies sûres pour un grand bien à longue et incertaine échéance (et peut-être y avait-il en dessous l'idée consolante qu'il aurait toujours le temps de partir).

Un pressentiment — ou bien était-ce seulement un espoir ? — de choses nobles et grandes l'avait fait rester là, mais ce pouvait aussi être seulement un ajournement, rien au fond n'était perdu. Il avait tellement de temps devant lui. Tout ce que la vie avait de bon semblait l'attendre. Quel besoin y avait-il de se hâter ? Les femmes, elles-mêmes, ces aimables et lointaines créatures, il se les représentait comme un bonheur certain, que lui promettait formellement le cours naturel de la vie.

Que de temps devant lui ! Une seule année lui paraissait déjà interminable, et les bonnes années venaient à peine de commencer ; elles semblaient former une série illimitée dont on ne pouvait apercevoir le terme, un trésor encore intact et si grand qu'on pouvait courir le risque de s'ennuyer un peu.

Il n'y avait personne pour lui dire : « Prends garde, Giovanni Drogo ! » Illusion tenace, la vie lui semblait inépuisable, bien que sa jeunesse eût déjà commencé de se faner. Mais Drogo ignorait ce qu'était le temps. Eût-il même eu devant lui des centaines et des centaines d'années de jeunesse, tels les dieux, sa part aurait été tout aussi maigre. Et lui, au contraire, n'avait à sa disposition qu'une vie simple et normale, une petite jeunesse humaine, don avare, dont on pouvait compter les années sur les doigts de la main et qui aurait fondu avant même que l'on pût le connaître.

« Que de temps devant moi », pensait-il. Et pourtant, il avait entendu dire qu'il existait des hommes qui, à un certain moment (chose curieuse à dire), se mettaient à attendre la mort, cette chose connue et absurde qui ne pouvait le concerner. Drogo souriait, en y pensant, et cependant, poussé par le froid, il s'était mis à marcher.

Les remparts, à cet endroit, suivaient la pente de la vallée, formant un complexe enchevêtrement de terrasses et de paliers. En dessous de lui, Drogo voyait, à la clarté de la lune, très noires contre la neige, les sentinelles échelonnées, dont les pas méthodiques faisaient « cric cric » sur le sol gelé.

La plus proche, debout sur une terrasse inférieure, à une dizaine de mètres de là, se tenait immobile, moins frileuse que les autres, les épaules appuyées à un mur, et elle semblait endormie. Mais Drogo l'entendit qui chantonnait, d'une voix grave, une cantilène.

C'était une suite de mots (que Drogo ne parvenait pas à distinguer) liés entre eux par un air monotone et sans fin. Parler et, ce qui était pire, chanter pendant le service était sévèrement interdit. Giovanni aurait dû le punir, mais il eut pitié de lui en pensant au froid et à la solitude de cette nuit. Il commença alors de descendre les quelques marches qui menaient à la terrasse et toussa légèrement pour avertir le soldat de sa venue.

L'homme tourna la tête et, voyant l'officier, rectifia la position, mais sans cesser de chantonner. Drogo fut saisi par la colère : ces soldats croyaient-ils pouvoir se moquer impunément de lui ? Il allait en tout cas en faire passer l'envie à celui-ci.

Le factionnaire remarqua tout de suite l'attitude menaçante de Drogo et, bien que la formalité du mot de passe ne fût pas, à la suite d'un très ancien accord tacite, de mise entre les soldats et l'officier chef de poste, il eut un excès de scrupule. Étreignant son fusil, il demanda, de ce ton très particulier usité au fort : « Qui vive ? Qui vive ? »

Drogo s'arrêta, brusquement désorienté. A moins de cinq mètres de distance peut-être, à la lueur limpide de la lune, il voyait très bien le visage du soldat et celui-ci avait la bouche fermée. Mais la cantilène ne s'était pas interrompue. Alors, d'où venait cette voix ?

Pensant à cette étrange chose, Giovanni, puisque le soldat était toujours sur le qui-vive, dit mécaniquement le mot de passe : « Miracle. » « Misère », répondit la sentinelle en remettant l'arme au pied.

Un immense silence succéda à l'échange du mot, un silence dans lequel flottait, plus fort qu'auparavant, ce murmure de paroles chantonnées.

Finalement, Drogo comprit, et un long frisson le parcourut des pieds à la tête. C'était l'eau, oui, une lointaine cascade ruisselant sur le faîte des rochers environnants. Le vent qui faisait osciller le long jet d'eau, le jeu mystérieux des échos, les diverses sonorités des pierres frappées par l'eau, formaient une voix humaine, qui parlait, parlait : qui disait des paroles de notre vie, des paroles que l'on était toujours sur le point de comprendre et que l'on ne saisissait jamais.

Ce n'était donc pas le soldat qui chantonnait, ce n'était pas un homme sensible au froid, aux punitions et à l'amour, mais la montagne hostile. Quelle triste erreur, pensa Drogo, peut-être en est-il ainsi de tout, nous nous croyons entouré de créatures semblables à nous et, au lieu de cela, il n'y a que gel, pierres qui parlent une langue étrangère ; on est sur le point de saluer un ami, mais le bras retombe inerte, le sourire s'éteint, parce que l'on s'aperçoit que l'on est complètement seul.

Le vent s'acharne sur le splendide manteau de

l'officier et l'ombre bleue, sur la neige, s'agite, elle aussi, comme un drapeau. La sentinelle se tient immobile. La lune avance, avance, lentement mais sans perdre un seul instant, impatiente d'atteindre l'aube. « Toc toc » fait le cœur de Giovanni Drogo dans sa poitrine.

XI

Une nuit, presque deux ans plus tard, Giovanni Drogo dormait dans sa chambre du fort. Vingt-deux mois avaient passé sans rien apporter de neuf et il était resté ferme dans son attente, comme si la vie eût dû avoir pour lui une indulgence particulière. Et pourtant, c'est long vingt-deux mois, et bien des choses peuvent arriver : vingt-deux mois suffisent pour fonder de nouvelles familles, pour que naissent des enfants et qu'ils commencent même à parler, pour que s'élève une grande maison là où il n'y avait que de l'herbe, pour qu'une jolie femme vieillisse et ne soit plus désirée par personne, pour qu'une maladie, même l'une des plus longues, se prépare (et, pendant ce temps, l'homme continue de vivre, sans soucis), consume lentement le corps, se retire, laissant croire pendant un temps bref à la guérison, reprenne plus profondément, rognant les derniers espoirs, et il reste encore du temps pour que le mort soit enseveli et oublié, pour que son fils soit de nouveau capable de rire et, le soir, se promène par les avenues avec des jeunes filles ingénues, le long des grilles du cimetière.

L'existence de Drogo, au contraire, s'était comme arrêtée. La même journée, avec ses événements identiques, s'était répétée des centaines de fois sans faire un pas en avant. Le fleuve du temps passait sur le fort, lézardait les murs, charriait de la poussière et des fragments de pierre, limait les marches et les chaînes, mais sur Drogo il passait en vain ; il n'avait pas encore réussi à l'entraîner dans sa fuite.

Cette nuit aussi eût été semblable à toutes les autres si Drogo n'avait pas fait un rêve. Il était redevenu enfant et se trouvait, en pleine nuit, devant une fenêtre.

Par delà un profond renfoncement de la maison, il voyait la façade d'un somptueux palais illuminé par la lune. Et l'attention de Drogo enfant était attirée tout entière vers une étroite fenêtre haut placée, surmontée par un baldaquin de marbre. La lune, pénétrant par les vitres, allait frapper une table sur laquelle il y avait un tapis, un vase et des statuettes d'ivoire. Et ces quelques objets que l'on pouvait voir donnaient à imaginer que, derrière, dans l'obscurité, s'ouvrait l'intimité d'un vaste salon, le premier d'une interminable série, tous pleins de choses précieuses, et que le palais tout entier dormait, de ce sommeil absolu et provocant que connaissent les demeures des gens riches et heureux. Quelle joie — pensa Drogo — que de pouvoir vivre dans ces salons, de pouvoir s'y promener pendant des heures, découvrant toujours de nouveaux trésors.

Cependant, entre la fenêtre à laquelle il se penchait et le merveilleux palais — un intervalle d'une vingtaine de mètres — s'étaient mises à flotter des formes fragiles, pareilles peut-être à des fées, qui traînaient derrière elles de longs voiles, que la lune faisait chatoyer.

Dans le sommeil, la présence de semblables créatures, telles qu'il n'en avait jamais vu dans le monde réel, n'étonnait pas Giovanni. Elles ondulaient dans l'air en de lents tourbillons, effleurant avec insistance la jolie fenêtre.

A cause de leur nature même, elles semblaient appartenir logiquement au palais, mais le fait qu'elles ne prêtassent aucune attention à Drogo, ne s'approchant jamais de sa maison, mortifiait celui-ci. Ainsi même les fées fuyaient les enfants ordinaires pour s'occuper seulement des gens fortunés qui, eux, ne les regardaient même pas, mais dormaient, indifférents, sous des baldaquins de soie ?

« Psst... psst... », fit timidement Drogo deux ou trois fois, pour attirer l'attention des fantômes, tout en sachant bien néanmoins, au fond de son cœur, que ce serait inutile. Aucun d'eux, en effet, ne parut entendre, aucun d'eux ne s'approcha, même d'un mètre, de sa fenêtre.

Mais voici qu'une de ces créatures magiques s'accroche au rebord de la fenêtre d'en face, avec une sorte de bras, et frappe discrètement au carreau, comme pour appeler quelqu'un.

Il ne se passa que quelques instants avant qu'une frêle silhouette, oh ! combien petite comparée à la monumentale fenêtre, apparût derrière les vitres, et Drogo reconnut Angustina, lui aussi enfant.

Angustina, d'une pâleur impressionnante, portait un costume de velours, au col de dentelle blanche, et il n'avait pas du tout l'air content de cette sérénade silencieuse.

Drogo pensa que son camarade allait l'inviter, ne fût-ce que par politesse, à jouer avec les fantômes. Mais il n'en fut pas ainsi. Angustina ne sembla pas remarquer son ami et, lorsque Giovanni appela « Angustina ! Angustina ! », il ne tourna même pas les yeux vers lui.

Au lieu de cela, Angustina, d'un geste las, ouvrit la fenêtre et se pencha vers l'esprit accroché au rebord de la fenêtre, comme s'il était très intime avec lui et comme s'il voulait lui dire quelque chose. L'esprit fit un signe et, suivant la direction de ce geste, Drogo tourna les yeux vers une grande place, absolument déserte, qui s'étendait devant les maisons. Sur cette place, à une dizaine de mètres du sol, avançait dans l'air un mince cortège d'autres esprits qui traînaient un petit palanquin.

Apparemment de la même essence qu'eux, le petit palanquin était débordant de voiles et de panaches. Angustina, avec sa caractéristique expression d'indifférence et d'ennui, le regardait s'avancer ; il était évident que le petit palanquin lui était destiné.

L'injustice meurtrissait le cœur de Drogo. Pourquoi tout pour Angustina et rien pour lui ? Pour un autre encore, oui, mais justement pour Angustina, toujours si fier et arrogant ! Drogo regarda les autres fenêtres pour voir s'il y avait quelqu'un qui pût éventuellement prendre son parti, mais il ne parvint à découvrir personne.

Finalement, le petit palanquin s'arrêta, se balançant juste devant la fenêtre, et, d'un bond, tous les fantômes se juchèrent autour de lui, formant une palpitante couronne ; ils étaient tous tournés vers Angustina, non plus obséquieux, mais avec une curiosité avide et presque méchante. Abandonné à lui-même, le petit palanquin demeurait en l'air, comme accroché à d'invisibles fils.

D'un coup, toute jalousie abandonna Drogo, car il comprit ce qui était en train de se passer. Il voyait Angustina à la fenêtre, tout droit, les yeux fixés sur le petit palanquin. Oui, les messagers des fées étaient venus à lui, cette nuit-là, mais pour quelle ambassade ! C'était donc à un long voyage que devait servir le petit palanquin, et il ne serait de retour ni avant l'aube, ni la nuit suivante, ni celle d'après, ni jamais. Les salons du palais attendraient en vain leur petit maître, deux mains de femmes refermeraient avec précaution la fenêtre laissée ouverte par le fugitif et toutes les autres fenêtres aussi seraient closes pour abriter dans l'ombre les pleurs et la désolation.

Les fantômes, naguère aimables, n'étaient donc pas venus jouer avec les rayons de lune, ils n'étaient pas sortis, innocentes créatures, de jardins parfumés, mais ils venaient de l'abîme.

Les autres enfants eussent pleuré, ils eussent appelé leur mère, mais Angustina, lui, n'avait pas peur et conversait placidement avec les esprits, comme pour établir certaines modalités qu'il était nécessaire de préciser. Serrés autour de la fenêtre, semblables à une guirlande d'écume, ils se chevauchaient l'un l'autre, se poussant vers l'enfant, et celui-ci faisait oui de la tête, comme pour dire : bien, bien, tout est parfaitement d'accord. A la fin, l'esprit qui, le premier, avait agrippé l'appui de la fenêtre, peut-être était-ce le chef, fit un petit geste impérieux. Angustina, toujours de son air ennuyé, enjamba l'appui de la fenêtre (il semblait déjà devenu aussi léger que les fantômes) et s'assit dans le petit palanquin, croisant les jambes en grand seigneur. La grappe de fantômes se défit dans un ondoiement de voiles, le véhicule enchanté s'ébranla doucement.

Un cortège se forma, les fantômes firent une évolution semi-circulaire dans le renfoncement des maisons, pour s'élever ensuite dans le ciel, dans la direction de la lune. Pour décrire le demi-cercle, le petit palanquin passa, lui aussi, à quelques mètres de la fenêtre de Drogo, qui, agitant les bras, tenta de crier en un suprême adieu : « Angustina ! Angustina ! »

Son ami mort tourna finalement alors la tête vers Giovanni, le regardant fixement pendant quelques instants, et il sembla à Drogo qu'il lisait dans ses yeux une gravité vraiment excessive chez un enfant aussi petit. Mais le visage d'Angustina s'ouvrait lentement à un sourire de complicité, comme si Drogo et lui pouvaient comprendre bien des choses inconnues aux fantômes ; une ultime envie de plaisanter, la dernière occasion de montrer que lui, Angustina, n'avait besoin de la pitié de personne : « C'est un épisode quelconque, avait-il l'air de dire, il serait vraiment stupide de s'en étonner. »

Emporté par le palanquin, Angustina détacha ses yeux de Drogo et tourna la tête, regardant devant lui, dans la direction du cortège, avec une espèce de curiosité amusée et méfiante. Il avait l'air d'essayer pour la première fois un nouveau jouet auquel il ne tenait pas du tout, mais que, par politesse, il n'avait pu refuser.

Il s'éloigna de la sorte dans la nuit, avec une noblesse presque inhumaine. Il n'eut pas un seul regard pour son palais, ni pour la place qui était en dessous de lui, ni pour les autres maisons, ni pour la ville où il avait vécu. Le cortège avança en serpentant lentement dans le ciel, montant toujours plus haut, il devint une traînée confuse, puis un minuscule panache de brume, puis il disparut.

La fenêtre était restée ouverte, les rayons de la lune illuminaient encore la table, le vase, les statuettes d'ivoire qui avaient continué de dormir. A l'intérieur de cette maison, étendu sur le lit d'une autre chambre, à la lueur tremblotante des cierges, gisait peut-être un petit corps humain privé de vie, dont le visage ressemblait à celui d'Angustina ; et il devait porter un costume de velours au grand col de dentelle, avoir sur ses lèvres pâles et figées un sourire.

XII

Le jour suivant, Giovanni Drogo commanda la garde à la Nouvelle Redoute. Celle-ci était un fortin isolé, à trois quarts d'heure de marche du fort, au sommet d'un cône rocheux qui surplombait la plaine des Tartares. C'était le poste le plus important, complètement isolé, et qui devait donner l'alarme si quelque danger menaçait.

Drogo sortit du fort, le soir, à la tête d'une soixantaine d'hommes : s'il fallait autant de soldats, c'est qu'il y avait dix postes de sentinelles à pourvoir, sans compter les deux pièces d'artillerie. C'était la première fois que Drogo mettait le pied au delà du col; pratiquement, on était déjà de l'autre côté de la frontière.

Giovanni pensait aux responsabilités du service, mais surtout il méditait sur le rêve concernant Angustina. Ce rêve lui avait laissé dans l'âme de tenaces résonances. Il lui semblait, bien qu'il ne fût pas particulièrement superstitieux, que ce rêve devait avoir d'obscures correspondances avec les choses futures.

Ils pénétrèrent dans la Nouvelle Redoute, la relève des sentinelles eut lieu, puis la garde descendante s'en alla et, du bord de la terrasse, Drogo resta à l'observer qui s'éloignait à travers les rocs. De là, le fort semblait un très long mur, un simple mur sans rien derrière. Les sentinelles étaient invisibles parce que trop éloignées. Seul le drapeau était perceptible de temps à autre, lorsque le vent l'agitait.

Pendant vingt-quatre heures, dans la redoute solitaire, Drogo allait être le seul commandant. Quoi qu'il arrivât, on ne pouvait demander du secours. Même si l'ennemi survenait, le fortin devait se suffire à lui-même. Le roi lui-même, entre ces murs, pendant vingt-quatre heures, comptait moins que Drogo.

En attendant la tombée de la nuit, Giovanni resta à regarder la plaine septentrionale. Du fort, il n'avait pu en voir qu'un petit triangle à cause des montagnes qui se trouvaient devant. Maintenant, par contre, il pouvait la voir tout entière, jusqu'aux extrêmes limites de l'horizon, là où stagnait l'habituelle barrière de brume. C'était une sorte de désert, pavé de rochers, avec, çà et là, des buissons bas et poussiéreux. A droite, tout au fond, une bande noire qui pouvait aussi être une forêt. Sur les côtés, l'âpre chaîne des montagnes. Il y en avait de très belles avec d'immenses parois à pic et dont la cime était blanche de la première neige d'automne. Et pourtant, personne ne les regardait ; tous, Drogo et les soldats, avaient instinctivement tendance à regarder vers le nord, vers la plaine désolée, sans vie et mystérieuse.

Que ce fût l'idée d'être complètement seul à commander le fortin, que ce fût la vue de la lande déserte, ou encore le souvenir du rêve concernant Angustina, Drogo sentait maintenant monter autour de lui, avec la nuit croissante, une sourde inquiétude.

C'était un soir d'octobre, le temps était incertain, il y avait des taches de lumière rougeâtre parsemées çà et là sur la terre, dont on ne s'expliquait pas l'origine et qu'engloutissait progressivement le crépuscule couleur de plomb.

Comme d'habitude, à l'heure du couchant, une sorte de poétique exaltation s'emparait de l'âme de Drogo. C'était l'heure de l'espoir. Et il s'abandonnait de nouveau aux héroïques rêveries tant de fois nées au cours des longues heures de garde et, chaque fois, enrichies de nouveaux détails. En général, il pensait à une bataille désespérée engagée par lui, avec quelques hommes, contre d'innombrables forces ennemies ; comme si, cette nuit-ci, la Nouvelle Redoute eût été assiégée par des milliers de Tartares. Pendant des jours et des jours, il résistait, presque tous ses compagnons étaient morts ou blessés ; un projectile l'avait atteint, lui aussi, une blessure grave mais pas tellement, qui lui permettait de conserver encore le commandement. Et voici que les cartouches sont sur le point de manquer, il tente une sortie à la tête de ses derniers hommes, un bandeau lui ceint le front ; et alors, finalement, voici qu'arrivent les renforts, l'ennemi se débande et prend la fuite, quand à lui, il tombe, épuisé, étreignant son sabre ensanglanté. Mais quelqu'un l'appelle :

— Lieutenant Drogo, lieutenant Drogo !

On l'appelle, on le secoue pour le ranimer. Et lui, Drogo, ouvre lentement les yeux : le roi, le roi en personne est penché sur lui et le félicite.

C'était l'heure de l'espoir, et il se redisait les héroïques faits d'armes qui probablement ne se réaliseraient jamais, mais qui servaient pourtant à donner le courage de vivre. Parfois, il se contentait de beaucoup moins, il renonçait à être le seul héros, il renonçait à la blessure, il renonçait même au roi qui le félicitait. Au fond, une simple bataille lui eût suffi, une seule bataille, mais sérieuse ; charger en grande tenue et pouvoir sourire en se précipitant vers les visages fermés des ennemis. Une bataille, et ensuite, peut-être, il eût été content toute sa vie.

Mais ce soir-là, il n'était pas facile de se sentir un héros. Les ténèbres avaient déjà enveloppé le monde, la plaine du Nord avait perdu toute couleur, mais elle ne s'était pas encore endormie, comme si quelque chose de triste eût été sur le point d'y naître.

Il était déjà huit heures du soir et le ciel était

tout rempli de nuages lorsque Drogo crut apercevoir, dans la plaine, un peu sur la droite, une petite tache noire qui bougeait. « Je dois avoir les yeux fatigués, se dit-il. Oui, à force de regarder, j'ai les yeux fatigués et je vois des taches. » La même chose lui était déjà arrivée une autre fois quand il était enfant et qu'il veillait, la nuit, pour étudier.

Il essaya de garder les yeux fermés pendant quelques instants, puis il tourna son regard vers les objets qui l'entouraient ; vers un seau qui avait dû servir à laver la terrasse, vers un crochet de fer qui était au mur, vers un banc que l'officier chef de poste qui l'avait précédé avait dû faire monter là pour se reposer. Ce ne fut qu'au bout de quelques instants qu'il regarda de nouveau vers le bas, vers l'endroit où, tout à l'heure, il lui avait semblé apercevoir la tache noire. Elle était encore là et se déplaçait lentement.

— Tronk ! appela Drogo d'un ton agité.

— A vos ordres, mon lieutenant, lui répondit immédiatement une voix si proche qu'elle le fit tressaillir.

— Ah ! vous êtes là ? dit-il, et, après avoir pris le temps de respirer : Tronk, je ne voudrais pas me tromper, mais il me semble... il me semble voir quelque chose qui remue là-bas, dans la plaine.

— Oui, mon lieutenant, répondit Tronk d'un ton réglementaire. Cela fait déjà plusieurs minutes que je suis en train de l'observer.

— Comment ? fit Drogo. Vous l'avez vu, vous aussi ? Que voyez-vous ?

— Cette chose qui remue, mon lieutenant.

Drogo sentit se figer son sang. « Ça y est, pensa-t-il,

oubliant complètement ses rêves guerriers, c'est bien ma veine, voici les embêtements qui commencent. »

— Ah ! vous l'avez vue, vous aussi ? demanda-t-il encore, espérant contre toute raison que l'autre allait répondre non.

— Oui, mon lieutenant, fit Tronk. Il doit y avoir dix minutes. Après être allé en bas, pour vérifier la propreté des canons, je suis monté ici et je l'ai vue.

Ils se turent tous les deux ; pour Tronk aussi, ce devait être un événement étrange et inquiétant.

— Que pensez-vous que ce soit, Tronk ?

— Je ne parviens pas à m'en rendre compte, ça bouge trop lentement.

— Comment ça, trop lentement ?

— Oui, je pensais que ce pouvaient être les plumets des roseaux.

— Les plumets ? Quels plumets ?

— Là-bas, au fond, il y a des roseaux. Il fit un geste vers la droite, mais c'était un geste inutile, car dans le noir on ne voyait rien. En cette saison, ces roseaux ont des sortes de plumets noirs. Parfois, le vent les détache, ces plumets, et comme ils sont légers, ils volent et l'on dirait de petites fumées...

— Mais ce ne peut être ça, ajouta-t-il après un temps, ils se déplaceraient plus rapidement.

— Alors, qu'est-ce que cela peut être ?

— Je ne comprends pas, fit Tronk. Des hommes? Ce serait bizarre. Ils arriveraient d'un autre côté, Et puis, ça continue à bouger, c'est incompréhensible.

— Aux armes ! Aux armes ! cria, à ce moment-là,

une sentinelle voisine, imitée bientôt par une autre, puis par une autre encore.

Elles aussi avaient aperçu la tache noire. De l'intérieur de la redoute, accoururent aussitôt les autres soldats qui n'étaient pas de garde. Ils s'amassèrent le long du parapet, pleins de curiosité, mais aussi un peu effrayés.

— Tu ne le vois pas ? disait l'un. Mais si, juste là-dessous. Maintenant, c'est immobile.

— Ce doit être de la brume, disait un autre. Parfois, il y a des trous dans la brume et l'on voit au travers ce qu'il y a derrière. On croit qu'il y a quelqu'un qui bouge et ce ne sont que des trous dans la brume.

— Oui, oui, maintenant je vois ce que tu dis, entendait-on. Mais ce machin noir a toujours été là, c'est un rocher noir, voilà ce que c'est.

— Un rocher ? Non mais ! Tu ne vois donc pas que ça bouge encore ? Tu es miraud ?

— C'est un rocher, te dis-je. Je l'ai toujours vu là, un rocher noir qui a la forme d'une bonne sœur.

Quelqu'un se mit à rire.

— Allons, allons, décampez, rentrez immédiatement au corps de garde, intervint Tronk, devançant le lieutenant, dont l'angoisse augmentait au son de toutes ces voix.

Les soldats regagnèrent à contre-cœur l'intérieur de la redoute et le silence se fit de nouveau.

— Tronk, demanda soudain Drogo, incapable de prendre une décision tout seul. Est-ce que vous donneriez l'alarme ?

— Donner l'alarme au fort, voulez-vous dire ? Vous croyez qu'il faut tirer un coup de canon, mon lieutenant ?

— Je n'en sais rien moi-même. Pensez-vous qu'il faille donner l'alarme ?

Tronk secoua la tête :

— Moi, j'attendrais le moment où l'on y verra mieux. Si l'on tire, le fort va être mis sens dessus dessous. Et après, s'il n'y a rien ?

— En effet, acquiesça Drogo.

— Et puis, ajouta Tronk, ce serait même contre le règlement. Le règlement dit qu'il faut donner l'alarme seulement en cas de danger, oui, c'est ce qu'il dit exactement : « En cas de danger, si l'on voit apparaître des détachements en armes, et toutes les fois où des personnes suspectes s'approchent à moins de cent mètres des murs », voilà ce que dit le règlement.

— C'est juste, acquiesça Giovanni. Et ça doit faire plus de cent mètres, n'est-ce pas ?

— Je le crois aussi, approuva Tronk. Et puis comment peut-on être sûr que ce soit une personne?

— Et que voulez-vous que ce soit, alors, un esprit ? fit Drogo vaguement irrité.

Tronk ne répondit pas.

Drogo et Tronk, tendus vers l'interminable nuit, demeurèrent appuyés au parapet, l'œil fixé vers le fond, vers l'endroit où commençait la plaine des Tartares. L'énigmatique tache paraissait immobile, comme endormie, et peu à peu Giovanni recommençait à penser qu'il n'y avait vraiment rien d'autre qu'un gros rocher noir qui avait la forme d'une nonne, et que ses yeux avaient dû se tromper, que c'était un peu de fatigue, sans plus, une stupide hallucination. A présent, il éprouvait même une sorte de profonde amertume, comme lorsque les heures les plus décisives du destin passent à côté de vous sans vous toucher et que leur grondement va se perdre au loin, nous laissant seuls, au milieu d'un tourbillon de feuilles mortes, à regretter la terrible mais grandiose occasion perdue.

Mais ensuite, au fur et à mesure que la nuit avançait, le souffle de la peur montait à nouveau de la sombre vallée. Au fur et à mesure que la nuit avançait, Drogo se sentait tout petit et tout seul. Tronk était trop différent de lui pour pouvoir lui tenir lieu d'ami. Oh! s'il avait eu ses camarades près de lui, ses camarades ou même un seul de ceux-ci, alors oui, c'eût été différent. Drogo eût même trouvé l'envie de plaisanter, et attendre l'aube ne lui eût pas été pénible.

Des langues de brume se formaient cependant dans la plaine, archipel blafard sur un noir océan. L'une d'elles s'étendit juste au pied de la redoute, cachant l'objet mystérieux. L'air était devenu humide, le manteau de Drogo pendait, flasque et lourd, de ses épaules.

Quelle longue nuit! Drogo avait déjà perdu l'espoir qu'elle pût jamais se terminer quand le ciel commença de pâlir et que des bouffées glaciales annoncèrent que l'aube n'était pas loin. Ce fut alors que le sommeil le surprit. Debout, appuyé au parapet de la terrasse, Drogo, par deux fois, laissa s'incliner sa tête, deux fois, d'un sursaut, il la releva, mais, finalement, sa tête s'abandonna, inerte, et ses paupières cédèrent sous le poids du sommeil. Le jour nouveau naissait.

Il s'éveilla parce que quelqu'un lui touchait le bras. Il émergea lentement de ses rêves, étourdi par la lumière. Une voix, la voix de Tronk, lui disait :

— Mon lieutenant, c'est un cheval.

Il se rappela alors la vie, le fort, la Nouvelle Redoute, l'énigme de la tache noire. Il regarda tout de suite vers le bas, avide de savoir, et il désirait lâchement n'apercevoir rien d'autre que pierres et buissons, rien d'autre que la plaine telle qu'elle avait toujours été, solitaire et vide.

Mais la voix répétait :

— Mon lieutenant, c'est un cheval.

Et Drogo, n'en croyant pas ses yeux, le vit, arrêté au pied d'un rocher.

C'était bien un cheval, non point grand, mais court et trapu, à qui ses jambes minces et sa crinière flottante donnaient une beauté bizarre. Sa forme était étrange, mais ce qui était surtout merveilleux, c'était sa robe, une robe noire et luisante qui faisait tache dans le paysage.

D'où venait-il ? A qui était-il ? Depuis de nombreuses années, nulle créature ne s'était aventurée en ces lieux, hormis peut-être un corbeau ou une couleuvre. Et voici que maintenant un cheval était apparu et l'on voyait tout de suite que ce n'était pas un cheval sauvage, mais un animal de choix, un vrai cheval de militaire (seules ses jambes étaient peut-être un peu trop grêles).

C'était une chose extraordinaire et dont la signification était inquiétante. Drogo, Tronk, les sentinelles — et aussi les autres soldats à travers les meurtrières de l'étage au-dessous — ne parvenaient pas à en détacher les yeux. Ce cheval bouleversait la règle établie, il ramenait avec lui les vieilles légendes du Nord, les Tartares, les batailles : de son illogique présence, il emplissait le désert tout entier.

Pris isolément, il ne signifiait pas grand'chose, mais derrière ce cheval, on comprenait que d'autres choses devaient nécessairement venir. Il était sellé réglementairement, comme s'il venait d'être monté peu de temps auparavant. Il y avait donc quelque chose dans l'air : ce qui, jusqu'à hier, était une superstition absurde, ridicule, pouvait donc être vrai. Drogo avait l'impression de les entendre, ces mystérieux ennemis, les Tartares : tapis dans les buissons, dans les fentes des rochers, immobiles et muets, les dents serrées, ils attendaient l'obscurité pour attaquer. Et, pendant ce temps, il en arrivait d'autres, fourmillement menaçant qui sortait lentement des brumes du Nord. Ils n'avaient ni musiques ni chansons, ils n'avaient ni épées scintillantes, ni beaux drapeaux. Leurs armes étaient ternies pour les empêcher de briller au soleil et leurs chevaux étaient dressés à ne pas hennir.

Mais un petit cheval — ce fut là ce que l'on pensa immédiatement à la Nouvelle Redoute — un petit cheval s'était échappé et, courant en avant, avait trahi la présence de l'ennemi. Probablement, ils ne s'en étaient pas aperçus, l'animal avait dû s'enfuir du campement pendant la nuit.

Le cheval avait, de la sorte, apporté un précieux message. Mais de combien de temps précédait-il l'ennemi ? Drogo ne pourrait avertir le commandement du fort avant le soir et, d'ici là, les Tartares pouvaient attaquer.

Fallait-il donc donner l'alarme ? Tronk prétendait que non : au fond, disait-il, il ne s'agissait que d'un simple cheval ; le fait qu'il fût arrivé jusqu'au pied de la redoute pouvait signifier qu'il s'était perdu, peut-être son maître était-il un chasseur solitaire qui s'était imprudemment aventuré dans le désert et qui était mort ou malade ; le cheval, demeuré seul, était allé à la recherche du salut, il avait senti la présence de l'homme du côté du fort et attendait maintenant qu'on lui apportât de l'avoine.

C'était justement cela qui faisait sérieusement douter qu'une armée fût en train de s'approcher. Quel motif aurait pu avoir cet animal de fuir un campement sur une terre aussi inhospitalière ? Et puis, disait Tronk, il avait entendu dire que les chevaux des Tartares étaient presque tous blancs, oui, même, sur un vieux tableau qui était accroché dans l'une des salles du fort, on voyait les Tartares tous montés sur de blancs destriers, tandis que celui-ci était noir comme du charbon.

Ainsi Drogo, après bien des hésitations, décida-t-il d'attendre le soir. Entre temps, le ciel s'était éclairci et le soleil illumina le paysage, réchauffant le cœur des soldats. Giovanni lui-même se sentit revigoré par la claire lumière ; les Tartares imaginaires perdirent de leur consistance, tout revenait à des proportions normales, le cheval était un simple cheval et l'on pouvait trouver à sa présence quantité d'explications sans recourir aux incursions ennemies. Alors, oubliant les peurs nocturnes, il se sentit brusquement prêt à n'importe quelle aventure et le pressentiment que son destin était à la porte l'emplissait de joie, un destin heureux qui le mettrait au-dessus des autres hommes.

Il se complut à s'occuper personnellement des détails les plus infimes du service de garde, comme pour démontrer à Tronk et aux soldats que l'apparition du cheval, bien qu'étrange et inquiétante, ne l'avait pas le moins du monde troublé; et il trouvait cela très militaire.

Les soldats, à dire vrai, n'avaient aucune crainte ; ils avaient pris à la blague l'histoire du cheval, ils eussent beaucoup aimé pouvoir le capturer et le ramener comme trophée au fort. L'un d'eux en demanda même l'autorisation au sergent-major, lequel se borna à lui jeter un coup d'œil de reproche, comme pour dire qu'il n'était pas permis de plaisanter avec les choses du service.

A l'étage au-dessous, par contre, là où étaient installés deux canons, l'un des artilleurs avait été très ému à la vue du cheval. Cet artilleur s'appelait Giuseppe Lazzari, c'était un jeune homme entré depuis peu au service. Il disait que ce cheval était le sien, il le reconnaissait parfaitement, il était sûr de ne pas se tromper, on avait dû le laisser s'échapper au moment où les bêtes, sorties du fort, étaient à l'abreuvoir.

— C'est Fiocco, c'est mon cheval ! criait-il, comme si l'animal eût vraiment été sa propriété et qu'on le lui eût dérobé.

Tronk, descendu à l'étage inférieur, fit tout de suite taire ces cris et démontra sèchement à Lazzari qu'il était impossible que son cheval se fût échappé : pour passer dans la vallée du nord, il eût fallu que l'animal traversât les remparts du fort ou franchît les montagnes.

Lazzari répondit qu'il existait un passage — il l'avait entendu dire — un passage tout à fait praticable à travers les rochers, une ancienne route abandonnée et dont personne ne se souvenait plus. Cette légende existait en effet, parmi tant d'autres, au fort Bastiani. Mais ce devait être une blague jamais on n'avait trouvé trace de ce passage secret. A droite et à gauche du fort, pendant des kilomètres et des kilomètres, se dressaient des montagnes sauvages qui n'avaient jamais été franchies.

Mais le soldat n'était pas convaincu et il frémissait à l'idée de devoir rester enfermé dans la redoute, sans pouvoir aller chercher son cheval, quand une demi-heure eût suffi, aller et retour.

Pendant ce temps, les heures s'écoulaient, le soleil continuait son voyage vers l'Occident, la relève des sentinelles s'effectuait au moment voulu, le désert resplendissait, plus solitaire que jamais, le petit cheval se tenait à la même place que précédemment, immobile la plupart du temps, comme dormant, ou bien il s'éloignait un peu à la recherche d'un brin d'herbe. Du regard, Drogo scrutait le lointain, mais il ne distinguait rien de nouveau : toujours les mêmes étendues rocheuses, les mêmes buissons, les mêmes brumes à l'extrême septentrion qui changeaient lentement de couleur au fur et à mesure que la journée passait.

La garde montante arriva pour la relève. Drogo et ses hommes quittèrent la redoute, s'avancèrent à travers les champs de pierres pour retourner au fort, parmi les ombres violettes du soir. Quand ils furent arrivés aux remparts, Drogo dit le mot de passe pour lui-même et pour son détachement, la porte fut ouverte, la garde descendante se rangea dans une sorte de petite cour et Tronk commença de faire l'appel. Pendant ce temps, Drogo s'éloigna pour aller apprendre au commandement la présence du mystérieux cheval.

Ainsi qu'il était prescrit par le règlement, Drogo

se présenta au capitaine de semaine, puis ils allèrent ensemble à la recherche du colonel ; d'habitude, quand il y avait une nouvelle quelconque, il suffisait de s'adresser à l'adjudant-major, mais, cette fois-ci, il s'agissait peut-être de quelque chose de grave et il ne fallait pas perdre de temps.

Cependant, la nouvelle s'était répandue avec la vitesse de l'éclair dans tout le fort. Certains, dans les corps de garde les plus éloignés, parlaient déjà de divisions entières de Tartares, campées au pied des rochers. Le colonel, mis au courant, se contenta de dire :

— Il faudrait essayer de le capturer, ce cheval : d'après sa selle, on pourra peut-être savoir d'où il vient.

Mais c'était maintenant inutile, car le soldat Giuseppe Lazarri avait réussi, pendant que la garde descendante revenait vers le fort, à se cacher, à l'insu de tout le monde, derrière un gros rocher, il était ensuite descendu tout seul par les champs de pierres, avait rejoint le petit cheval et, à présent, le ramenait au fort. Il constata avec stupeur que ce n'était pas le sien, mais, maintenant, il n'y avait plus rien à faire.

Ce fut seulement au moment de pénétrer dans le fort qu'un des camarades de Lazzari s'aperçut que celui-ci avait disparu. Si Tronk venait à le savoir, Lazzari ferait au moins deux mois de prison. Il fallait le sauver. C'est pourquoi, quand le sergent-major fit l'appel et prononça le nom de Lazzari, quelqu'un répondit « présent » pour lui.

Quelques minutes plus tard, quand les soldats avaient déjà rompu les rangs, on se rappela que Lazzari ne connaissait pas le mot de passe ; il ne s'agissait plus de prison, mais de sa vie ; gare s'il se présentait devant les remparts, on lui tirerait dessus. Deux ou trois de ses camarades se mirent alors à la recherche de Tronk pour que celui-ci lui trouvât un moyen de s'en tirer.

Trop tard. Tenant le cheval noir par la bride, Lazzari était déjà tout près des remparts. Et, sur le chemin de ronde, il y avait Tronk qu'un vague pressentiment avait amené là ; aussitôt après avoir fait l'appel, le sergent-major avait été pris d'une inquiétude dont il ne parvenait pas à déterminer la cause, mais il avait l'intuition que quelque chose n'allait pas. Récapitulant les événements de la journée, il était arrivé jusqu'au retour au fort sans rien trouver de suspect ; puis, il lui avait semblé remarquer quelque chose d'irrégulier ; oui, à l'appel il devait y avoir eu une irrégularité, mais, sur le moment, comme cela arrive souvent dans ces cas-là, il ne s'en était pas rendu compte.

Un factionnaire montait la garde juste au-dessus de la porte d'entrée. Dans la pénombre, vit, sur les graviers, deux silhouettes noires qui s'approchaient. Elles devaient être à deux cents mètres. Le soldat n'y prêta pas attention, il crut avoir une hallucination ; souvent, aux endroits isolés, à force de rester longtemps à guetter, on finit par voir, même en plein jour, des formes humaines qui surgissent entre les buissons et les rochers, on a l'impression que quelqu'un est en train de vous épier, puis on va voir et il n'y a personne.

Le factionnaire, pour se distraire, regarda autour de lui, fit un signe d'amitié à l'un de ses camarades, qui montait la garde une trentaine de mètres plus loin à droite, réajusta le lourd képi qui lui serrait le front, puis tourna les yeux vers la gauche et vit le sergent-major Tronk qui, immobile, le regardait fixement et sévèrement.

Le factionnaire se reprit, regarda de nouveau devant lui et vit que les deux ombres n'étaient pas un rêve, elles étaient tout près maintenant, elles devaient être à soixante-dix mètres à peine : un soldat et un cheval. Alors, il saisit son fusil, arma le chien, se raidit dans l'attitude répétée des centaines de fois à l'instruction. Puis il cria :

— Qui vive ? Qui vive ?

Lazzari n'était soldat que depuis peu de temps, et il ne pensait pas, même vaguement, que, sans le mot de passe, il n'allait pas pouvoir rentrer. Il craignait tout au plus d'être puni pour s'être éloigné sans permission ; mais, qui sait, peut-être le colonel lui pardonnerait-il à cause du cheval qu'il ramenait ; c'était une bête splendide, un vrai cheval de général.

Il ne restait plus qu'une quarantaine de mètres à parcourir. Les fers de l'animal résonnaient sur les pierres, l'obscurité était presque complète, on entendit une lointaine sonnerie de trompette.

— Qui vive, qui vive ? répéta la sentinelle.

Une fois encore, et puis il faudrait tirer.

Au premier appel de la sentinelle, un trouble soudain s'était emparé de Lazzari. Il lui semblait tellement étrange, maintenant qu'il se trouvait personnellement en cause, de s'entendre interpeller de cette façon par un camarade, mais il se rasséréna au deuxième « qui vive », car il reconnut la voix d'un copain, d'un soldat de la même compagnie que la sienne, qu'on avait surnommé le Moricaud.

— C'est moi, Lazzari ! cria-t-il. Dis au chef de

poste de m'ouvrir ! J'ai attrapé le cheval ! Et fais les choses discrètement, sinon on va me fiche dedans !

La sentinelle ne bougea pas. Le fusil levé, elle se tenait immobile, cherchant à retarder le plus possible le troisième « qui vive ». Peut-être Lazzari allait-il se rendre compte tout seul du danger, peut-être allait-il retourner en arrière, peut-être pourrait-il, le lendemain, se joindre à la garde de la Nouvelle Redoute. Mais, à quelques mètres, il y avait Tronk qui le regardait fixement et sévèrement.

Tronk ne disait mot. Tantôt il regardait la sentinelle et tantôt Lazzari à cause de qui, sans doute, il allait être puni. Que signifiaient ses regards ?

Le soldat et le cheval n'étaient plus qu'à une trentaine de mètres, attendre davantage eût été imprudent. Plus Lazzari se rapprochait et plus il avait de chance d'être touché.

— Qui vive, qui vive ? cria pour la troisième fois le factionnaire et, dans sa voix, il y avait, sous-entendu, une sorte d'avertissement personnel et antiréglementaire. « Retourne en arrière pendant qu'il est encore temps, voulait-il dire, tu veux donc te faire tuer ? »

Et, finalement, Lazzari comprit, il se rappela brusquement les dures lois du fort, se sentit perdu. Mais, au lieu de fuir, il lâcha, Dieu sait pourquoi, la bride du cheval et s'avança tout seul, criant d'une voix perçante :

— C'est moi, Lazzari ! Tu ne me reconnais pas ? Moricaud, oh ! Moricaud ! C'est moi ! Mais qu'est-ce que tu fabriques avec ton fusil ? Tu es fou, Moricaud ?

Mais la sentinelle n'était plus Moricaud, ce n'était plus qu'un soldat au visage dur, qui, maintenant, levait lentement son fusil et visait son ami. Elle avait appuyé la crosse contre son épaule, et, du coin de l'œil, elle épia le sergent-major, souhaitant silencieusement que celui-ci lui fît signe de ne pas insister. Mais Tronk était toujours immobile et la regardait toujours fixement et sévèrement.

Lazzari, sans se retourner, recula de quelques pas, butant sur les pierres.

— C'est moi, Lazzari ! criait-il. Tu ne vois donc pas que c'est moi ? Ne tire pas, Moricaud !

Mais la sentinelle n'était plus le Moricaud avec qui tous ses camarades plaisantaient librement, elle était seulement une sentinelle, l'une des sentinelles du fort, en uniforme de drap bleu foncé avec le baudrier de cuir verni, une sentinelle absolument identique, dans la nuit, à toutes les autres, une sentinelle quelconque qui l'avait mis en joue et qui, maintenant, pressait sur la gâchette. Une sentinelle qui avait les oreilles bourdonnantes et à qui il semble entendre la voix rauque de Tronk qui disait : « Vise bien ! », quoique Tronk n'eût pas bronché.

Un petit éclair sortit du fusil, un minuscule nuage de fumée, et même, au début, la détonation ne parut pas grand'chose, mais, ensuite, elle fut multipliée par les échos, répercutée de muraille en muraille, demeura longtemps dans l'air, s'éteignant en un lointain grondement qui ressemblait au tonnerre.

Maintenant que son devoir était accompli, la sentinelle mit l'arme à terre, se pencha au-dessus du parapet, regarda vers le sol, espérant n'avoir pas atteint son camarade. Et, dans le noir, il lui parut, en effet, que Lazzari n'avait pas été touché.

Non, Lazzari était encore debout, et le cheval s'était approché de lui. Puis, dans le silence qui suivit la détonation, on entendit sa voix, qui disait, avec quel accent désespéré :

— Oh ! Moricaud, tu m'as tué !

Voilà ce que dit Lazzari et il s'effondra lentement en avant. Tronk, le visage impénétrable, n'avait pas encore fait un seul mouvement, cependant qu'un tumulte guerrier se propageait dans les méandres du fort.

XIII

C'est ainsi que commença cette nuit mémorable, toute battue par les vents, striée par le balancement des lanternes, coupée de sonneries de trompette insolites, d'allées et venues dans les couloirs ; et des nuages, venus du nord, se précipitaient contre les cimes rocheuses auxquelles ils laissaient des lambeaux accrochés, n'ayant pas le temps de s'attarder, car quelque chose de très important les appelait.

Un coup de feu avait suffi, un modeste coup de fusil, et le fort s'était éveillé. Pendant des années, il n'y avait eu que le silence — et des hommes toujours tendus vers le Nord pour entendre la voix de la guerre qui s'approchait — un trop long silence. Maintenant, un coup de fusil avait été tiré — avec la charge de poudre réglementaire et la balle de plomb de trente-deux grammes — et les hommes s'étaient regardés tour à tour, comme si ç'avait été là le signal.

Certes, même ce soir-là, personne, à part quelques soldats, ne prononce le mot qui est dans le cœur de chacun. Les officiers préfèrent ne pas le dire, car c'est justement là leur espoir. C'est à cause des Tartares qu'on a bâti les murs du fort, à cause d'eux qu'ils passent ici une grande partie de leur vie, c'est à cause des Tartares que les sentinelles marchent jour et nuit, tels des automates. Et les uns nourrissent chaque matin d'une foi nouvelle cet espoir, les autres le gardent caché tout au fond d'eux-mêmes, d'autres encore ne savent même pas l'avoir encore, ils croient l'avoir perdu. Mais personne n'a le courage d'en parler ; cela semblerait de mauvais augure, cela paraîtrait surtout confesser ses pensées les plus chères et les soldats ont honte de cela.

Pour le moment, il y a seulement un soldat mort et un cheval de provenance inconnue. Au corps de garde de la porte qui donne au Nord, de la porte où est arrivé le malheur, il règne une grande animation et, bien que ce ne soit pas réglementaire, Tronk est là, lui aussi, Tronk que ronge l'inquiétude à l'idée de la punition qui l'attend ; la responsabilité retombe sur lui, c'est lui qui devait empêcher Lazzari de s'échapper, lui qui devait s'apercevoir tout de suite, au retour, que le soldat n'avait pas répondu à l'appel.

Et voici qu'apparaît maintenant aussi le commandant Matti, anxieux de faire sentir son autorité et sa compétence. Il a une expression étrange, incompréhensible, on peut même croire qu'il sourit. Évidemment, il est parfaitement au courant de tout et il donne au lieutenant Mentana, qui est de service dans cette redoute, l'ordre de faire enlever le cadavre du soldat.

Mentana est un officier effacé, le plus ancien lieutenant du fort ; s'il ne portait une bague avec un gros diamant et s'il ne jouait pas bien aux échecs, personne ne s'apercevrait de son existence ; énorme est la pierre précieuse qui est à son annulaire et rares sont ceux qui réussissent à le battre aux échecs, mais devant le commandant Matti, il tremble littéralement et perd la tête pour une chose aussi simple que d'envoyer une corvée chercher un mort.

Par chance pour lui, le commandant Matti a aperçu le sergent-major Tronk debout dans un coin, il l'appelle :

— Tronk, vu que vous n'avez rien à faire ici, prenez le commandement de l'expédition !

Il dit cela comme ça, avec le plus grand naturel, comme si Tronk était un sous-officier quelconque, sans aucun rapport personnel avec l'incident ; car Matti est incapable de faire un reproche direct, il finit par devenir blanc de rage et ne trouve plus ses mots ; il préfère l'arme bien plus dure des enquêtes, avec leurs interrogatoires flegmatiques, leurs rapports écrits, qui parviennent à grossir monstrueusement les plus légères fautes et se terminent presque toujours par des punitions graves.

Tronk ne bronche pas, il répond « oui, mon commandant » et gagne rapidement la courette qui se trouve immédiatement derrière la grande porte. Peu après, à la lueur des lanternes, un petit groupe sort du fort : en tête Tronk, puis quatre soldats portant une civière, puis quatre autres soldats en armes, par précaution, et, en dernier, le commandant Matti lui-même, drapé dans une cape déteinte, qui fait traîner son sabre sur les cailloux.

Ils trouvent Lazzari tel qu'il est tombé, la face contre terre et les bras étendus en avant. Son fusil, qu'il portait en bandouilière, s'est pris, dans la chute, entre deux rochers et se tient tout droit, crosse en l'air, ce qui est d'un effet curieux. Le soldat, en tombant, s'est blessé une main et, avant que le corps ne se refroidisse, un peu de sang a eu le temps de couler, formant une tache sur une pierre blanche. Le mystérieux cheval a disparu.

Tronk se penche sur le mort et a un geste comme pour le saisir par les épaules, mais il se rejette brusquement en arrière, comme venant de se rendre compte qu'il allait faire quelque chose de contraire aux règlements.

— Prenez-le, ordonne-t-il aux soldats d'une voix basse et mauvaise. Mais avant, enlevez-lui son fusil.

Un soldat se baisse pour défaire la courroie et pose sa lanterne sur les cailloux, tout près du mort. Lazzari n'a pas eu le temps de fermer complètement les paupières et, par la petite fente de l'œil, la lumière joue légèrement sur le blanc.

— Tronk ! appelle alors le commandant Matti, qui est resté complètement dans l'ombre.

— A vos ordres, mon commandant, répond Tronk en se mettant au garde-à-vous ; les soldats, eux aussi, s'immobilisent.

— Où cela s'est-il passé ? Où s'est-il échappé ? demande le commandant en traînant les mots, comme si une curiosité ennuyée le faisait parler. Ça s'est passé à la fontaine ? Là où il y a ces grosses pierres ?

— Oui, mon commandant, aux grosses pierres, répond Tronk, et il n'en dit pas davantage.

— Et personne ne l'a vu se sauver ?

— Personne, mon commandant, fait Tronk.

— A la fontaine, hein ? Et il faisait noir ?

— Oui, mon commandant, assez noir.

Tronk attend quelques instants au garde-à-vous, puis, comme Matti se tait, il fait signe aux soldats de reprendre leur besogne. L'un d'eux essaie de défaire la courroie du fusil, mais la boucle est dure et résiste. En tirant dessus, le soldat sent le poids du cadavre, un poids disproportionné, comme si le mort était de plomb.

Le fusil enlevé, les deux soldats renversent délicatement le corps, le mettent sur le dos. A présent, on voit le visage tout entier. La bouche est fermée et inexpressive, seuls les yeux entr'ouverts et immobiles, que ne fait pas vaciller la lueur des lanternes, donnent l'impression de la mort.

— En plein front ? demande la voix de Matti, lequel a tout de suite remarqué une sorte de légère dépression, juste au-dessus du nez.

— Vous dites, mon commandant ? fait Tronk sans comprendre.

— Je dis : a-t-il été touché en plein front ? jette Matti, agacé de devoir répéter.

Tronk soulève la lanterne, éclaire en plein le visage de Lazzari, voit, lui aussi, la petite dépression et, instinctivement, approche un doigt comme pour la toucher. Tout de suite, néanmoins, il interrompt son geste, troublé.

— Je crois que oui, mon commandant, là, juste au milieu du front. (Mais pourquoi ne se dérange-t-il pas lui-même pour venir voir le mort, s'il s'intéresse tant à celui-ci ? Pourquoi toutes ces questions idiotes ?)

Les soldats, s'apercevant de l'embarras de Tronk, n'ont d'attention que pour leur tâche ; deux d'entre eux soulèvent le cadavre par les épaules, deux autres par les jambes. La tête, abandonnée à elle-même, pend en arrière, horriblement. La bouche, bien que glacée par la mort, s'ouvre presque.

— Et qui est-ce qui a tiré ? demande encore Matti, toujours immobile dans le noir.

Mais à ce moment-là, Tronk n'a cure du commandant. Tronk ne s'occupe que du mort.

— Soutenez-lui la tête, ordonne-t-il avec colère, comme si le mort était lui-même.

Puis, s'apercevant que Matti vient de parler, il rectifie de nouveau la position.

— Je vous demande pardon, mon commandant, j'étais...

— J'ai demandé, répète le commandant Matti, et il scande ses mots, pour bien faire comprendre que s'il ne perd pas patience c'est uniquement à cause du mort, j'ai demandé : qui est-ce qui a tiré ?

— Comment s'appelle-t-il ? Le savez-vous ? demande Tronk à voix basse aux soldats.

— Martelli, dit l'un d'eux. Martelli Giovanni.

— Martelli Giovanni, répond Tronk à haute voix.

— Martelli, répète pour lui-même le commandant. (Ce nom ne lui est pas inconnu, ce doit être celui d'un des hommes primés au concours de tir. C'est justement Matti qui dirige l'école de tir et il se souvient des noms des meilleurs sujets.) N'est-ce pas celui qu'on surnomme le Moricaud ?

— Oui, mon commandant, répond Tronk toujours au garde-à-vous, je crois qu'on le surnomme le Moricaud. Vous comprenez, mon commandant, entre camarades...

Il dit cela presque pour l'excuser, presque pour démontrer que Martelli n'est pas responsable, que, si on le surnomme le Moricaud, ce n'est pas sa faute et qu'il n'y a aucune raison de le punir.

Mais le commandant ne songe nullement à le punir, cette idée ne lui est même pas passée par l'esprit.

— Ah ! le Moricaud ! s'exclame-t-il, sans cacher une certaine satisfaction.

Le sergent-major le regarde en face, avec des yeux durs, et comprend. « Mais oui, mais oui, pense-t-il, donne-lui donc un prix, salaud, parce qu'il a bien tué son camarade. C'est ce qui s'appelle faire mouche, n'est-ce pas ? »

Oui, c'est ce qui s'appelle faire mouche. C'est exactement là ce que Matti est en train de penser (et dire que lorsque le Moricaud a tiré, il faisait déjà noir. Ils sont tous à la hauteur, ses tireurs.).

Tronk, en ce moment, hait le commandant. « Mais oui, mais oui, pense-t-il, dis-le tout haut que tu es content. Que Lazzari soit mort, tu t'en fiches bien ! Félicite-le ton Moricaud, fais-lui des éloges solennels ! »

Et il en est effectivement ainsi : le commandant, parfaitement tranquille, s'en félicite à haute voix :

— Eh oui, il ne rate pas le but, ce Moricaud ! s'exclame-t-il comme pour dire : Il se croyait malin, Lazzari, il croyait que le Moricaud visait mal, il croyait s'en sortir, hein, ce Lazzari ? et comme ça il a appris le genre de tireur que c'était. Et Tronk ?

lui aussi peut-être espérait que le Moricaud raterait le but (et tout se serait alors arrangé avec quelques jours d'arrêt) ? Ah ! oui, répète encore le commandant oubliant complètement que là, devant lui, il y a un mort. Un tireur d'élite, ce Moricaud !

Finalement, pourtant, il se tait et le sergent-major peut se tourner pour voir comment ses hommes ont placé le cadavre sur la civière. Il est déjà étendu comme il faut, le visage caché par une couverture militaire, seules les mains sont nues, deux grosses mains de paysan, qui semblent encore rouges de vie et de sang chaud.

Tronk fait un signe de la tête. Les soldats soulèvent la civière.

— Peut-on partir, mon commandant ? demande-t-il.

— Qui voudriez-vous donc attendre ? répond durement Matti ; maintenant, avec un étonnement sincère, il vient de sentir la haine de Tronk et il veut la lui rendre multipliée, avec, en plus, son mépris de supérieur.

— En avant, ordonne Tronk.

En avant marche, aurait-il dû dire, mais cela lui semble presque une profanation. A présent, il regardait les murs du fort, la sentinelle au faîte du mur, vaguement éclairée par les reflets des lanternes. Derrière ces murs, dans une chambrée, il y a le lit de Lazzari, sa cantine où il y a les choses qu'il a apportées de chez lui : une image pieuse, deux épis de maïs, un briquet, des mouchoirs de couleur, quatre boutons d'argent pour son costume du dimanche, des boutons qui avaient appartenu à son grand-père et qui, au fort, ne pouvaient jamais lui servir.

Le polochon conserve peut-être encore l'empreinte de la tête de Lazzari, exactement comme deux jours plus tôt, quand Lazzari s'est réveillé. Et puis il y a probablement aussi une petite bouteille d'encre — ajoute mentalement Tronk, méticuleux jusque dans ses pensées solitaires — une petite bouteille d'encre et un porte-plume. Tout cela sera mis dans un petit paquet et expédié chez lui, avec une lettre du colonel. Les autres choses, données par le Gouvernement, iront naturellement à un autre soldat, y compris la chemise de rechange. Mais point son bel uniforme, ni son fusil non plus : le fusil et l'uniforme seront ensevelis avec lui, car tel est l'antique règlement du fort.

XIV

Et, quand l'aube commença de poindre, ceux de la Nouvelle Redoute virent, dans la plaine du Nord, une petite bande noire. Une mince ligne qui se déplaçait et qui ne pouvait être une hallucination. La sentinelle Andronico fut la première à la voir, puis la sentinelle Pietri, puis le sergent Batta, lequel d'abord s'était mis à rire, puis, enfin, le lieutenant Maderna, chef de poste.

Une petite bande noire s'avançait, venue du Nord, à travers la lande inhabitée et cela sembla un prodige absurde, bien que déjà, pendant la nuit, des pressentiments eussent circulé dans le fort. Vers six heures environ, la sentinelle Andronico lança la première le cri d'alarme. Quelque chose s'approchait, venant du septentrion, ce qui, de mémoire d'homme, ne s'était jamais produit. La lumière augmentant, la troupe d'hommes qui s'avançait se détacha nettement sur le fond blanc du désert.

Quelques minutes plus tard, ainsi qu'il le faisait chaque matin depuis des temps immémoriaux (jadis, ç'avait été uniquement de l'espoir, puis plus rien qu'un scrupule, et maintenant, c'était presque uniquement une habitude), le maître tailleur Prosdocimo monta sur le toit du fort pour jeter un coup d'œil. Il était de tradition chez les sentinelles de le laisser passer ; il se penchait par-dessus le parapet du chemin de ronde, échangeait quelques mots avec le sergent de garde, puis redescendait à son souterrain.

Ce matin-là, il dirigea son regard vers le triangle de désert qui était visible et se crut mort. Il ne pensa pas que ce pût être un rêve. Dans le rêve, il y a toujours quelque chose d'absurde et de confus, on ne se libère jamais de la vague sensation que tout cela est faux et qu'au bon moment il faudra s'éveiller. Dans le rêve, les choses ne sont jamais claires et tangibles comme l'était cette plaine désolée sur laquelle avançaient des armées d'hommes inconnus.

Mais c'était une chose si étrange, tellement semblable à certaines de ses rêveries du temps où il était jeune, que Prosdocimo ne pensa même pas que ce pût être vrai et il se crut mort.

Il se crut mort et pensa que Dieu lui avait pardonné. Il se crut dans l'au-delà, dans un monde apparemment identique au nôtre, avec cette seule différence que les belles choses s'y accomplissent selon nos justes désirs et où, une fois ceux-ci satisfaits, on se retrouve, l'âme en paix, non pas comme ici-bas, où il y a toujours quelque chose pour empoisonner même les plus belles journées.

Il se crut mort, Prosdocimo, et il ne bougeait pas, supposant qu'en tant que défunt il n'avait plus besoin de bouger, mais qu'une intervention mystérieuse allait l'éveiller. Au lieu de ça, ce fut un sergent-major qui, respectueusement, lui toucha le bras :

— Maréchal des logis, lui dit-il. Qu'avez-vous ? Vous ne vous sentez pas bien ?

Alors, seulement, Prosdocimo commença de comprendre.

A peu près comme dans les rêves, mais mieux que dans ceux-ci, des êtres mystérieux descendaient du royaume du Nord. Le temps passait rapidement, les paupières ne battaient même plus quand on regardait l'image insolite, le soleil brillait déjà à la rouge lisière de l'horizon, peu à peu les étrangers se rapprochaient, encore qu'avec une extrême lenteur. Certains disaient qu'il y en avait à pied et à cheval, qu'ils avançaient en file indienne, qu'il y avait même un étendard. Ainsi parlaient certains, et les autres aussi se figuraient voir la même chose, tous se persuadaient qu'ils distinguaient des fantassins et des cavaliers, les plis d'un étendard, la file indienne, bien qu'ils ne distinguassent en réalité qu'une mince bande noire qui se déplaçait lentement.

— Les Tartares, osa dire comme par bravade la sentinelle Andronico, le visage devenu pâle comme la mort.

Au bout d'une demi-heure, à la Nouvelle Redoute,

le lieutenant Maderna ordonna de tirer un coup de canon à blanc, un coup d'avertissement, ainsi qu'il était prescrit de le faire au cas où l'on verrait s'approcher des détachements étrangers en armes.

Il y avait des années, au fort, que l'on n'avait entendu le canon. Les remparts eurent un petit frémissement. La détonation s'élargit, devint un lent mugissement, un lugubre son de destruction qui roula parmi les roches. Et les yeux du lieutenant Maderna se tournèrent vers le profil plat du fort, s'attendant à y voir des signes d'agitation. Mais la canonnade ne produisit aucune stupeur, car les étrangers avançaient juste dans ce triangle de plaine visible du fort central, et tout le monde était déjà au courant. La nouvelle était parvenue jusque dans la galerie la plus éloignée, là où les fortifications de gauche étaient adossées aux rochers, jusque, même, au planton de garde au magasin souterrain des lanternes et du matériel de construction, jusqu'à lui qui ne pouvait rien voir, enfermé qu'il était dans cette sombre cave. Et il attendait, frémissant d'impatience, que son tour de garde se terminât pour aller, lui aussi, sur le chemin de ronde jeter un coup d'œil.

Tout continuait comme auparavant, les sentinelles restaient à leur poste, marchant de long en large sur le parcours qui leur était dévolu, les secrétaires copiaient des rapports, faisant crisser leurs plumes et les trempant dans l'encrier selon le rythme habituel, mais, du Nord, des inconnus étaient en train d'arriver, des inconnus qu'il était permis de présumer ennemis. Dans les écuries, les hommes étrillaient les bêtes, la cheminée des cuisines fumait flegmatiquement, trois soldats balayaient la cour, mais sur tout cela pesait un sentiment aigu et solennel, une immense expectative des âmes, comme si l'heure suprême eût sonné et que rien ne pût plus l'arrêter.

Officiers et soldats respirèrent à fond l'air matinal pour sentir en eux-mêmes leur jeune vie. Les artilleurs se mirent à préparer les canons, échangeant des plaisanteries, ils s'affairaient autour d'eux comme autour de bêtes qu'il eût fallu calmer, et ils les regardaient avec une certaine appréhension : peut-être qu'après tant de temps les pièces n'étaient plus bonnes pour tirer, peut-être que, dans le passé, le nettoyage n'en avait pas été fait avec assez de soin, et il fallait en un certain sens remédier à cela, car sous peu tout allait se décider. Et jamais les plantons n'avaient monté les escaliers avec une telle vélocité, jamais les uniformes n'avaient été aussi en ordre, les baïonnettes aussi luisantes, les sonneries de trompette aussi martiales. On n'avait donc pas attendu en vain, les années n'avaient pas été gaspillées, finalement le vieux fort allait servir à quelque chose.

On attendait maintenant une sonnerie de trompette particulière, le signal de « grande alerte », que les soldats n'avaient jamais eu la chance d'entendre. Au cours de leurs exercices, qui avaient lieu hors du fort, dans un petit vallon écarté — pour que le son ne parvînt pas au fort et qu'il n'y eût pas de malentendus — les trompettes, pendant les calmes après-midi d'été, avaient essayé de jouer le fameux signal, surtout par excès de zèle (nul, certes, ne pensait qu'il pût servir). A présent, ils se repentaient de ne pas l'avoir suffisamment étudié ; c'était un très long arpège q ui montait jusqu'à une note extrêmement aiguë, il y aurait probablement des fausses notes.

Seul le commandant du fort pouvait ordonner de sonner ce signal, et tout le monde pensait à lui : les soldats s'attendaient déjà qu'il vînt inspecter les remparts d'un bout à l'autre et le voyaient déjà s'avançant avec un fier sourire, les regardant tous dans les yeux. Ce devait être un beau jour pour lui que celui-ci : n'avait-il pas passé sa vie à attendre ce moment ?

Au lieu de ça, M. le colonel Filimore était dans son bureau, et, par la fenêtre, il regardait, vers le Nord, le petit triangle de plaine déserte que les rochers ne masquaient pas, et il voyait une ligne de petits points noirs qui bougeaient comme des fourmis, exactement en direction de lui-même et du fort, et qui avaient vraiment l'air d'être des soldats.

De temps à autre, un officier entrait, le lieutenant-colonel Nicolosi, le capitaine de semaine, ou l'un des officiers de jour. Ils entraient sous des prétextes divers, dans l'attente impatiente de ses ordres, lui apportant des nouvelles insignifiantes : un nouveau chargement de vivres venait d'arriver de la ville, les travaux pour la réparation du four commençaient ce matin même, la date où une dizaine de soldats avaient le droit de partir en permission était proche, la longue-vue avait été installée sur la terrasse du fort central, si jamais le colonel voulait s'en servir.

Ils communiquaient ces nouvelles, saluaient en claquant les talons et ne comprenaient pas pourquoi le colonel restait là, muet, et ne donnait pas les ordres sur lesquels ils comptaient fermement. Il n'avait pas encore fait renforcer la garde, ni doubler les approvisionnements individuels en munitions, ni décidé de sonner le signal de « grande alerte ».

Presque la proie d'une mystérieuse apathie, il observait froidement l'arrivée des étrangers, ni triste ni joyeux, comme si tout cela ne l'eût pas concerné.

C'était, en outre, une splendide journée d'octobre, le soleil était limpide, l'air léger, le temps rêvé pour une bataille. Le vent agitait le drapeau hissé sur le toit du fort, le sol jaune de la cour brillait et les soldats, en passant, y projetaient des ombres bien dessinées. Belle matinée, mon colonel.

Mais le commandant du fort faisait clairement comprendre qu'il préférait rester seul et, quand il n'y avait plus personne dans le bureau, il allait de la table à la fenêtre, de la fenêtre à la table ; incapable de prendre une décision, il lissait sans raison ses moustaches grises, poussait de longs soupirs, des soupirs purement physiques, comme c'est le propre des vieillards.

Maintenant, on ne voyait plus la ligne noire des étrangers dans le petit triangle de plaine visible par la fenêtre, c'était signe que les étrangers s'étaient rapprochés, qu'ils étaient toujours plus près de la frontière. Dans trois ou quatre heures, sans doute, ils seraient au pied des montagnes.

Mais le colonel continuait de nettoyer, sans raison, avec son mouchoir, les verres de ses lunettes, il feuilletait les pièces entassées sur sa table : la décision du jour à signer, une demande de permission, le rapport quotidien du médecin-major, un bon à décharge de la sellerie.

Qu'attends-tu, colonel ? Le soleil est déjà haut, le commandant Matti lui-même, qui est entré il y a un instant, ne dissimulait pas une certaine appréhension, oui, même lui qui ne croit jamais à rien. Montre-toi au moins aux sentinelles, fais un petit tour sur les remparts. Maintenant, a dit le capitaine Forze qui est allé inspecter la Nouvelle Redoute, on distingue parfaitement les étrangers, ils sont en armes, ils ont le fusil sur l'épaule, il n'y a pas de temps à perdre.

Au lieu de ça, Filimore veut attendre. Ces étrangers sont probablement des soldats, il ne dit pas non, mais combien sont-ils ? Quelqu'un a dit qu'ils étaient deux cents, un autre deux cent cinquante, on lui a, de plus, fait remarquer que, si c'est là l'avant-garde, le gros de l'armée doit être d'au moins deux mille hommes. Mais on n'a pas encore vu le gros de l'armée, il se pourrait bien qu'il n'existât même pas.

Si l'on n'a pas encore vu le gros de l'armée, mon colonel, c'est uniquement à cause des brumes du Nord. Ce matin, elles sont très rapprochées, la tramontane les a poussées vers le Sud, de sorte qu'elles couvrent une vaste portion de la plaine. Ces deux cents hommes n'auraient pas de sens si, derrière eux, une forte armée ne suivait pas : avant midi, sûrement, les autres aussi feront leur apparition. Il y a même une sentinelle qui prétend avoir vu, il y a peu de temps, bouger quelque chose à la limite des brumes.

Mais le commandant du fort fait les cent pas de la fenêtre à son bureau et vice versa, il feuillette d'un air distrait les pièces. Pourquoi les étrangers devraient-ils attaquer le fort ? pense-t-il. Ce sont peut-être des manœuvres normales qu'ils font, afin de se familiariser avec les difficultés du désert. Le temps des Tartares est révolu, ils ne sont plus qu'une vieille légende. Et qui d'autre qu'eux aurait intérêt à violer la frontière ? Il y a dans toute cette histoire quelque chose de pas convaincant.

Il se peut en effet que ce ne soit pas des Tartares, colonel, mais ce sont certainement des soldats. Depuis de nombreuses années, ce n'est un mystère pour personne, il y a, contre le Royaume du Nord, de profondes rancœurs, et, plus d'une fois, on a parlé de guerre. En tout cas, ce sont certainement des soldats. Il y en a à cheval et il y en a à pied, et l'artillerie arrivera probablement bientôt. Sans être pessimiste, ils auraient tout le temps d'attaquer avant le soir, et les remparts du fort sont vieux, vieux aussi sont les fusils, les canons, tout est absolument démodé, hors le courage des soldats. Sois prudent, colonel.

Être prudent ! Oh ! il voudrait bien, lui, pouvoir ne pas être prudent, c'est pour cela qu'il a donné sa vie, il ne lui reste que peu d'années à vivre et si cette fois-ci n'est pas la bonne, tout est probablement fini. Ce n'est pas la peur qui le retient, ce n'est pas l'idée qu'il peut mourir. Non, cette idée ne lui traverse même pas l'esprit.

La vérité, c'est que Filimore, vers la fin de sa vie, voyait brusquement venir la fortune, cuirassée d'argent et l'épée teinte de sang ; lui (qui ne pensait maintenant quasiment plus à elle) la voyait étrangement s'approcher, avec un visage amical. Et Filimore, voilà la vérité, n'osait pas aller à sa rencontre et répondre à son sourire, trop de fois il s'était trompé, à présent, il en avait assez.

Les autres, les officiers du fort, avaient tout de suite couru au-devant d'elle, lui faisant fête.

Contrairement à lui, ils s'étaient avancés pleins de confiance et goûtaient déjà, comme s'ils avaient eu dans le passé l'occasion de le faire, l'âcre et puissante odeur de la bataille. Tandis que le colonel attendait. Tant que la belle apparition ne l'aurait pas pris par la main, il ne bougerait pas, comme par superstition. Il suffirait peut-être d'un rien, d'un simple geste de salut, de l'aveu d'un souhait, pour que l'image s'évanouît dans le néant.

C'est pourquoi il se bornait à hocher la tête, faisant signe que non : la fortune devait se tromper, Et il regardait autour de lui, incrédule, il regardait autour de lui, derrière lui, là où il était possible qu'il y eût d'autres personnes, celles que la fortune cherchait vraiment. Mais il ne voyait personne d'autre, il ne pouvait y avoir erreur sur la personne, il était forcé de convenir que c'était bien à lui qu'était destiné ce sort enviable.

Il y avait eu un instant, aux premières lueurs de l'aube, lorsque la mystérieuse ligne noire lui était apparue sur la blancheur du désert, un instant pendant lequel son cœur avait palpité de joie. Puis l'image cuirassée d'argent, à l'épée teinte de sang, s'était faite peu à peu plus vague et, si elle marchait encore vers lui, elle ne parvenait plus, en réalité, à se rapprocher, à diminuer la brève et pourtant infinie distance.

La raison en est que Filimore a déjà attendu trop longtemps et qu'à un certain âge esperer demande un trop gros effort, on ne retrouve plus la foi de ses vingt ans. Il a attendu trop longtemps en vain, ses yeux ont lu trop de décisions, trop de matins ils ont vu cette maudite plaine toujours déserte. Et maintenant que les étrangers sont apparus, il a la nette impression qu'il doit y avoir une erreur (sinon ce serait trop beau), qu'il doit sûrement y avoir une grossière erreur.

Pendant ce temps, la pendule qui était en face du bureau continuait de moudre la vie, et les doigts du colonel, maigres, desséchés par les années, s'obstinaient à nettoyer, à l'aide du mouchoir, les verres de ses lunettes, et ceci bien que le besoin ne s'en fît pas sentir.

Les aiguilles de la pendule approchaient de la demie de dix heures quand le commandant Matti entra dans la pièce, pour rappeler au colonel que c'était l'heure du rapport des officiers. Filimore l'avait oublié et il en fut désagréablement surpris : il allait être obligé de parler des étrangers qui étaient apparus dans la plaine, il n'allait plus pouvoir remettre de prendre une décision, il allait falloir les déclarer officiellement ennemis ou bien plaisanter à leur sujet, ou bien encore choisir un moyen terme, ordonner des mesures de sécurité et en même temps se montrer sceptique, comme s'il n'y avait pas à se monter la tête. Mais il fallait, coûte que coûte, prendre une décision, et cela lui déplaisait. Il eût préféré faire durer l'attente, rester absolument immobile, presque pour provoquer le destin, afin que celui-ci se déchaînât pour de bon.

— Cette fois-ci, je crois que ça y est ! lui dit le commandant Matti avec l'un de ses sourires ambigus.

Le colonel Filimore ne répondit pas.

— Maintenant, continua le commandant, on en voit arriver d'autres encore. Ils sont sur trois rangs, on peut les voir même d'ici.

Le colonel regarda Matti dans les yeux et, pendant un bref instant, parvint presque à l'aimer.

— Il en arrive encore, dites-vous ?

— On peut les voir même d'ici, mon colonel, ils sont nombreux maintenant.

Ils allèrent à la fenêtre et, dans le triangle visible de la plaine septentrionale, ils distinguèrent de nouvelles petites lignes noires en mouvement ; non plus une seule comme à l'aube, mais trois côte à côte et dont on n'apercevait pas la fin.

La guerre, la guerre, pensa le colonel, et il cherchait en vain à chasser cette idée, comme si ç'eût été un désir coupable. L'espoir s'était réveillé aux paroles de Matti et maintenant l'emplissait d'angoisse.

L'esprit ainsi troublé, le colonel se trouva brusquement dans la salle de réunion, devant tous les officiers alignés (tous, sauf ceux qui étaient de garde). Au-dessus de la tache bleue des uniformes, des visages singuliers rayonnaient de pâleur, des visages qu'il avait peine à reconnaître ; jeunes ou affaissés, ils lui disaient tous la même chose : les yeux brillants de fièvre, ces hommes réclamaient avidement de lui la confirmation formelle de l'arrivée des ennemis. Raidis au garde-à-vous, tous les officiers le regardaient fixement, exigeant de ne pas être frustrés.

Dans le grand silence de la salle, on entendait seulement la respiration profonde des officiers. Et le colonel comprit qu'il devait parler. Ce fut pendant ces secondes que Filimore se sentit envahir par un sentiment nouveau et fou. Filimore eut la brusque certitude que les étrangers étaient vraiment des ennemis, décidés à violer la frontière. Il ne comprenait absolument pas comment il était venu à cette certitude, lui qui, jusqu'à tout à l'heure, avait su vaincre la tentation de ne plus douter. Il se sentait comme emporté par la tension commune des esprits, il comprenait qu'il allait parler sans réserve. « Messieurs, allait-il dire, voici enfin venue l'heure attendue depuis tant d'années. » C'est cela qu'il dirait ou quelque chose de similaire, et les officiers écouteraient avec gratitude ses paroles, promesses autorisées d'une gloire prochaine.

C'est dans ce sens qu'il allait parler maintenant, mais dans le tréfonds de son âme, une voix contraire s'obstinait encore à se faire entendre. C'est impossible, colonel, disait cette voix, prends garde pendant qu'il en est encore temps, c'est une erreur (sinon, ce serait trop beau), prends garde, car il s'agit d'une erreur formidable.

Au milieu de l'émotion qui l'envahissait, cette voix ennemie se faisait entendre de temps en temps. Mais il était tard, le délai commençait à devenir embarrassant.

Et le colonel fit un pas en avant, leva la tête comme il avait coutume de le faire quand il se mettait à parler, et les officiers virent brusquement rougir son visage : oui, le colonel rougissait comme un enfant, car il était sur le point de révéler le secret, jalousement caché, de sa vie.

Filimore avait délicatement rougi, tel un enfant, et ses lèvres étaient sur le point d'émettre le premier son, quand la voix hostile monta de nouveau au fond de son âme, et il eut un frisson d'angoisse. Il lui parut alors entendre un pas précipité qui montait les escaliers, qui s'approchait de la pièce où ils étaient réunis. Aucun des officiers, tous pendus aux lèvres de leur chef, ne remarqua ce bruit de pas, mais, en tant d'années, les oreilles de Filimore s'étaient entraînées à distinguer les moindres bruits du fort.

Les pas se rapprochaient, il n'y avait pas de doute, avec une précipitation inhabituelle. Ils avaient un son peu familier et inquiétant, un son d'inspection administrative ; ils venaient directement, semblait-il, du monde de la plaine. Leur bruit parvenait maintenant avec une égale netteté aux autres officiers, et, sans qu'on pût s'expliquer pourquoi, il les frappa péniblement. La porte s'ouvrit enfin et un officier de dragons inconnu parut, haletant, couvert de poussière.

Il se mit au garde-à-vous.

— Lieutenant Fernandez, dit-il, du septième dragons. J'apporte un pli de la ville, de la part de Son Excellence le chef d'état-major.

Son haut képi élégamment posé sur son bras gauche replié, il s'approcha du colonel et lui remit une enveloppe cachetée.

Filimore lui serra la main.

— Merci, lieutenant, dit-il, il me semble que vous ne vous êtes pas ménagé. Votre collègue Santi va vous mener vous rafraîchir.

Sans laisser transparaître la moindre ombre d'inquiétude, le colonel fit un signe au lieutenant Santi, lequel était le premier sur qui fût tombé son regard, l'invitant à faire les honneurs du fort au nouvel arrivant. Les deux officiers partirent et la porte se referma sur eux.

— Vous permettez, n'est-ce pas ? demanda Filimore avec un léger sourire, désignant l'enveloppe pour montrer qu'il préférait en lire tout de suite le contenu.

Ses doigts firent sauter délicatement les cachets, déchirèrent un coin de l'enveloppe, tirèrent de celle-ci une feuille double, entièrement couverte d'écriture.

Les officiers ne le quittaient pas du regard pendant qu'il lisait, cherchant à deviner sur son visage quelque chose. Mais ceci en pure perte. On eût dit qu'il parcourait le journal après le dîner, assis près de la cheminée, par une léthargique soirée d'hiver. Seule la rougeur avait disparu du visage desséché du commandant du fort.

Quand le colonel eut fini de lire, il plia la double feuille, l'introduisit de nouveau dans l'enveloppe, mit celle-ci dans sa poche et leva la tête, faisant signe qu'il allait parler. On sentait dans l'atmosphère que quelque chose était survenu, que le charme de l'instant précédent venait d'être rompu.

— Messieurs, dit-il, et sa voix faisait un grand effort, si je ne me trompe, il y a eu ce matin chez les hommes, et chez vous aussi, une certaine agitation, provoquée par la présence de détachements dans la plaine dite des Tartares.

Ses paroles se frayaient avec peine un chemin dans le profond silence. Une mouche tournoyait dans la salle.

— Il s'agit, continua-t-il, il s'agit de détachements de l'État du Nord, chargés d'établir la ligne frontière, ainsi que nous l'avons fait nous-mêmes, il y a plusieurs années. En conséquence, ces détachements ne viendront pas du côté du fort, mais ils se disperseront probablement par groupes, s'échelonnant dans les montagnes. C'est là ce que me communique officiellement dans cette lettre Son Excellence le chef d'état-major.

Tout en parlant, Filimore poussait de longs soupirs, non point d'impatience ou de douleur, mais des soupirs purement physiques, comme ont coutume de le faire les vieillards ; et sa voix, qui avait soudain des sonorités molles et caverneuses, semblait devenue la voix d'un vieillard, et, pareillement, ses regards étaient maintenant jaunâtres et vitreux, tels ceux d'un très vieil homme.

Il avait bien senti ça, dès le début, le colonel Filimore. Il savait bien que ce ne pouvait pas être des ennemis : il n'était pas né pour la gloire, lui, trop longtemps il s'était fait des illusions. Pourquoi s'était-il laissé tromper ? Puisqu'il avait senti dès le début que cela devait finir ainsi.

— Comme vous le savez, continua-t-il d'un ton trop morne pour ne pas être infiniment amer, les bornes frontière et les autres signes de démarcation ont déjà été fixés par nous il y a très longtemps. Il reste néanmoins, ainsi que m'en informe Son Excellence, une zone qui n'est pas encore délimitée. J'enverrai, pour compléter ce travail, un certain nombre d'hommes commandés par un capitaine et par un officier subalterne. Il s'agit d'une zone montagneuse, comprenant deux ou trois chaînes parallèles. Il est superflu d'ajouter qu'il serait bon de se porter le plus en avant possible et de s'assurer le sommet septentrional. Non point que celui-ci ait une importance stratégique, comprenez-moi bien, car, là-haut, une guerre ne pourra jamais se développer, ni offrir de possibilités de manœuvre... Il s'interrompit pendant un instant, perdu dans ses pensées. Possibilités de manœuvre, reprit-il. Où en étais-je donc resté ?

— Vous disiez qu'il faudrait se porter le plus en

avant possible, souffla le commandant Matti avec une componction suspecte.

— Ah oui ! je disais donc qu'il allait falloir se porter le plus en avant possible. Malheureusement la chose n'est pas facile : à l'heure qu'il est, nous sommes en retard sur ceux du nord. De toute façon... Bah ! on en parlera plus tard, conclut-il en se tournant vers le lieutenant-colonel Nicolosi.

Il se tut, il semblait las. Il avait vu, tandis qu'il parlait, un voile de déception descendre sur le visage des officiers, il les avait vus redevenir, de guerriers anxieux de se battre, de falots officiers de garnison. Mais ils étaient jeunes, pensait-il, ils avaient encore le temps.

— Bon, continua le colonel. Je regrette maintenant d'être obligé de faire une remarque qui concerne plusieurs d'entre vous. J'ai constaté plus d'une fois que, à la relève de la garde, certains détachements se présentaient dans la cour non encadrés par leurs officiers respectifs. Ces officiers se croient évidemment autorisés à arriver plus tard...

La mouche tournoyait dans la salle, sur le toit du fort le drapeau s'était affaissé, le colonel parlait de discipline et de règlement, dans la plaine du nord avançaient des régiments d'hommes en armes, non plus des ennemis avides de se battre mais des soldats inoffensifs comme eux, non pas des soldats lancés vers la boucherie, mais de simples militaires qui venaient se livrer à une sorte d'opération de cadastre, leurs fusils non chargés, leurs dagues émoussées. Là-bas, dans la plaine du nord, cet inoffensif fantôme d'armée se déploie et, dans le fort, tout stagne à nouveau, au rythme habituel des jours.

XV

L'expédition, qui avait pour but de délimiter la zone frontière non encore reconnue, partit le jour suivant, à l'aube. Elle était commandée par le gigantesque capitaine Monti, secondé par le lieutenant Angustina et par un sergent-major. Le mot de passe de la journée et ceux des quatre jours suivants avaient été communiqués à chacun des trois. Il était bien improbable qu'ils pussent périr tous les trois ; en tout cas, le plus ancien des soldats survivants aurait la faculté d'ouvrir la tunique de ses supérieurs morts ou évanouis, de fouiller dans une petite poche intérieure et d'en tirer l'enveloppe cachetée contenant le mot secret permettant de rentrer dans le fort.

Une quarantaine d'hommes en armes franchirent le seuil du fort en direction du nord, tandis que le soleil naissait. Le capitaine Monti avait de gros brodequins à clous, semblables à ceux des soldats. Seul Angustina portait des bottes, et avant de partir le capitaine avait regardé celles-ci avec une curiosité exagérée sans pourtant souffler mot.

Ils descendirent pendant une centaine de mètres, à travers la caillasse, puis ils appuyèrent sur la droite, parallèlement à l'horizon, vers l'entrée d'une étroite vallée rocheuse qui s'enfonçait dans le cœur de la montagne.

.Ils marchaient depuis une demi-heure quand le capitaine dit :

— Vous allez avoir du mal à marcher avec ces machines-là.

Et il montrait du doigt les bottes d'Angustina.

Angustina ne répondit pas.

— Je ne voudrais pas que l'on soit obligé de s'arrêter, reprit au bout d'un instant le capitaine. Elles vont vous faire mal, vous verrez.

— Maintenant, il est trop tard, mon capitaine, répondit Angustina. Si tel est votre avis, vous auriez pu me le faire connaître plus tôt.

— De toute façon, ça n'aurait rien changé, répliqua Monti. Je vous connais, Angustina, vous les auriez mises quand même.

Monti ne pouvait pas le souffrir. « Tu peux te donner de grands airs, pensait-il, mais avant qu'il soit longtemps, je vais t'en faire voir. » Et il forçait au maximum l'allure, même sur les pentes les plus abruptes, sachant qu'Angustina n'était pas robuste. Cependant, ils s'étaient rapprochés de la base des parois rocheuses. Les cailloux du sol s'étaient faits plus pointus et les pieds s'y enfonçaient péniblement.

— D'ordinaire, dit le capitaine, il souffle de cette gorge un vent de tous les diables... Mais, aujourd'hui, on y est bien.

Le lieutenant Angustina garda le silence.

— C'est aussi une veine qu'il n'y ait pas de soleil, reprit Monti. Aujourd'hui, c'est vraiment agréable de marcher.

— Vous êtes donc déjà venu ici ? demanda Angustina.

— Une fois, répondit Monti, pour tâcher de retrouver un soldat déser...

Il s'interrompit, car, venu du faîte d'une haute muraille grise qui les surplombait, un bruit d'éboulement frappait leurs oreilles. On entendait le sourd grondement des pierres qui se brisaient contre les roches et qui, se précipitant dans l'abîme avec une sauvage impétuosité, rebondissaient au milieu de nuages de poussière. C'était comme un roulement de tonnerre, qui se répercutait de paroi en paroi. Au cœur des précipices, le mystérieux éboulement continua pendant quelques minutes encore, mais il cessa, dans les canaux profonds, avant de parvenir en bas ; seuls deux ou trois petits cailloux arrivèrent jusqu'à la piste pierreuse que gravissaient les soldats.

Tout le monde s'était tu : dans ce fracas d'éboulement, on avait senti une présence ennemie. Monti regarda Angustina avec un vague air de défi. Il espérait que le lieutenant aurait peur, mais il n'en était rien. Néanmoins, le lieutenant semblait avoir exagérément chaud après une aussi courte marche ; son élégant uniforme était déjà comme avachi.

« Je veux voir la tête que tu feras bientôt, maudit snob, pensait Monti, malgré tous les airs que tu te donnes. » Il reprit tout de suite la marche, forçant encore davantage l'allure, et, de temps en temps, il jetait de brefs coups d'œil en arrière, pour observer Angustina ; oui, ainsi qu'il l'avait espéré et prévu, on voyait que les bottes commençaient à le faire souffrir. Non qu'Angustina ralentît le pas ou qu'il fît des grimaces de douleur. Non, cela se sentait à la cadence de ses pas, à l'expression de préoccupation qui était apparue sur son visage.

— Je crois qu'aujourd'hui, dit Monti, je serais capable de marcher même six heures de suite. S'il n'y avait pas les soldats... Oui, aujourd'hui, on avance vraiment bien. (Il insistait avec une malice naïve.) Ça va, lieutenant ?

— Pardon, mon capitaine, fit Angustina. Qu'avez-vous dit ?

— Rien, répondit-il, et il souriait méchamment. Je vous demandais si ça allait.

— Ah oui ! merci, dit évasivement Angustina ; et, après un temps bref, pour dissimuler son essoufflement : Dommage que...

— Dommage que quoi ? demanda Monti, espérant que l'autre allait avouer sa fatigue.

— Dommage qu'on ne puisse pas venir plus souvent par ici, l'endroit est magnifique.

Et il souriait de son air détaché.

Monti accéléra encore davantage l'allure. Mais Angustina le suivait toujours ; maintenant, l'effort avait fait pâlir son visage, des rigoles de sueur descendaient du bord de son lourd képi, et, sur son dos, l'étoffe de sa veste était trempée, mais il ne disait mot et ne se laissait pas distancer.

A présent, ils s'étaient engagés dans les rochers, d'horribles parois grises se dressaient à pic tout autour d'eux, il semblait que la vallée voulût monter à des hauteurs inconcevables.

Les aspects habituels de la vie cessaient pour faire place à l'immobile dévastation de la montagne. Fasciné, Angustina levait de temps à autre les yeux vers les crêtes chancelantes qui étaient au-dessus d'eux.

— Nous ferons halte plus loin, dit Monti qui ne le quittait pas du regard. On ne voit pas encore l'endroit. Mais, franchement, vous n'êtes pas fatigué ? Parfois, on n'est pas en train. Il vaut mieux le dire, même au risque de se mettre en retard.

— Marchons, marchons, répondit seulement Angustina, presque comme si c'eût été lui le supérieur.

— Vous comprenez, je disais ça parce qu'il peut arriver à tout le monde de ne pas être en train. C'est uniquement pour cela que je le disais...

Angustina était pâle, des rigoles de sueur dégoulinaient du bord de son képi, sa veste était complètement à tordre. Mais il serrait les dents et ne cédait pas, il mourrait plutôt. Tâchant de ne pas être vu par le capitaine, il lançait des coups d'œil vers le sommet de la vallée du col, pour tenter d'apercevoir le terme de l'épreuve.

Pendant ce temps, le soleil s'était levé et illuminait les cimes les plus hautes, sans avoir pourtant le frais éclat des belles matinées d'automne. Un voile de brume s'étendait lentement dans le ciel, trompeur et uniforme.

Maintenant, en réalité, les bottes commençaient à faire un mal de chien à Angustina. Le cuir lui mordait le cou de pied ; à en juger par la souffrance, la peau avait déjà dû se crevasser.

Tout d'un coup, la caillasse cessa et la vallée déboucha sur un plateau exigu à l'herbe maigre et clairsemée, au pied d'un cirque de parois rocheuses. Elles se dressaient de chaque côté, dans un enchevêtrement de tours et de crevasses : des murailles dont il était difficile d'évaluer la hauteur.

Bien qu'à contre-cœur, le capitaine Monti ordonna de faire halte et donna aux soldats le temps de manger. Angustina s'assit sur une grosse pierre d'un air tranquille, bien que frissonnant, car il était en sueur et le vent le glaçait. Le capitaine et lui se partagèrent un quignon de pain, une tranche de viande, du fromage, une bouteille de vin.

Angustina avait froid, il regardait le capitaine et les soldats, pour pouvoir, si quelqu'un venait à dérouler sa capote, l'imiter. Mais les soldats semblaient insensibles à la fatigue et plaisantaient entre eux, le capitaine mangeait avec avidité et satisfaction, considérant entre chaque bouchée une montagne escarpée qui se dressait au-dessus d'eux.

— A présent, dit-il, à présent, j'ai compris par où l'on doit monter.

Et il montrait la muraille surplombante qui aboutissait à la crête en litige.

— Il faut grimper tout droit par là. C'est plutôt raide, hein ? Qu'en dites-vous, lieutenant ?

Angustina regarda la paroi rocheuse. Pour parvenir à la crête frontière, il fallait effectivement monter par là, à moins de vouloir faire le tour par un col quelconque. Ceci demanderait beaucoup plus de temps alors qu'il fallait, au contraire, se hâter : ceux du nord avaient l'avantage, car ils s'étaient mis en mouvement les premiers et, de leur côté, la route était beaucoup plus praticable. Il fallait aborder la paroi juste de front.

— Grimper par là ? demanda Angustina, observant les raides escarpements, et il remarqua qu'à une centaine de mètres plus à gauche la route eût été beaucoup plus facile.

— Oui, tout droit par là, répéta le capitaine. Qu'en dites-vous ?

— La seule chose qui compte, dit Angustina, c'est d'arriver avant eux.

Le capitaine le regarda avec une antipathie manifeste.

— Bien, dit-il. Maintenant, faisons une petite partie.

Il tira un jeu de cartes de sa poche, étendit son manteau sur une grosse pierre carrée, invita Angustina à donner, puis :

— Ces nuages, dit-il. Vous les regardez d'un sale œil, mais n'ayez pas peur, ce ne sont pas des nuages de mauvais temps, ceux-là...

Et Dieu sait pourquoi il se mit à rire, comme s'il venait de faire une plaisanterie spirituelle.

Ils commencèrent donc à jouer. Angustina se sentait glacé par le vent. Alors que le capitaine s'était assis entre deux grosses pierres qui l'abritaient, lui était en plein courant d'air. « Ce coup-ci, pensait-il, je vais prendre mal. »

— Ah ! cette fois, vous allez un peu fort ! hurla littéralement à l'improviste le capitaine Monti. Bon Dieu, vous laisser prendre ainsi un as ! Mais où avez-vous donc la tête, mon cher lieutenant ? Vous continuez à regarder en l'air et vous ne faites même pas attention aux cartes.

— Non, non, répondit Angustina. Je me suis trompé ! Et il essaya, sans succès, de rire.

— Allons, avouez-le, fit Monti avec une satisfaction triomphante. Avouez-le : ces machines-là vous font mal ; dès le départ, je l'aurais juré.

— Quelles machines ?

— Vos belles bottes. Elles ne sont pas faites pour

ce genre de marches, mon cher lieutenant. Avouez-le, elles vous font mal.

— Elles me gênent un peu, admit Angustina d'un ton méprisant pour montrer que ça l'agaçait d'en parler. Effectivement, elles m'ont un peu gêné.

— Ah! ah! Et le capitaine eut un rire satisfait. Je le savais bien ! Mieux vaut ne pas mettre de bottes pour aller sur la caillasse.

— Attention! je viens de jouer un roi d'épées, remarqua Angustina glacial. Vous ne pouvez donc pas couper ?

— Si, si, je me trompais, fit le capitaine, toujours très gai. Hein ! ces bottes !

A dire vrai, les bottes du lieutenant Angustina n'étaient pas très commodes pour monter le long des roches de la paroi. Dépourvues de clous, elles avaient tendance à glisser, alors que les godillots du capitaine Monti et des soldats s'accrochaient solidement aux aspérités. Mais, malgré cela, Angustina ne restait pas en arrière : multipliant les efforts, bien qu'il fût déjà fatigué et que sa veste trempée de sueur glacée le gênât considérablement, il parvenait à suivre de près le capitaine dans son ascension le long de l'abrupte muraille.

La montagne se révélait finalement moins difficile et moins escarpée qu'elle ne le semblait quand on la regardait d'en bas. Elle était toute creusée de galeries, de crevasses, de corniches rocheuses, et chaque roche était découpée en d'innombrables aspérités sur lesquelles on pouvait facilement poser le pied. Peu agile de nature, le capitaine grimpait en peinant, par bonds successifs, regardant de temps à autre vers le bas dans l'espoir qu'Angustina eût abandonné. Mais Angustina tenait bon ; avec la plus grande rapidité, il cherchait les points d'appui les plus larges et les plus sûrs et s'étonnait presque de pouvoir s'élever aussi lestement, quand il se sentait épuisé.

Au fur et à mesure que l'abîme augmentait en dessous d'eux, la crête finale semblait s'éloigner toujours davantage, défendue par une muraille jaune à pic. Et le soir approchait toujours plus rapidement, bien qu'un épais plafond de nuages gris empêchât d'évaluer à quelle hauteur était encore le soleil. Il commençait également à faire froid. Un vent mauvais montait du vallon et on l'entendait siffler entre les fentes de la montagne.

— Mon capitaine ! cria d'en bas, à un certain moment, le sergent qui fermait la marche.

Monti s'arrêta, Angustina s'arrêta, puis tous les soldats, jusqu'au dernier, sans exception, s'arrêtèrent.

— Qu'y a-t-il encore ? demanda le capitaine comme s'il avait déjà pour le préoccuper d'autres raisons de soucis.

— Ceux du Nord ! cria le sergent. Ils sont déjà sur la crête.

— Tu es fou ! Où les vois-tu ? répliqua Monti.

— A gauche, sur cette petite plate-forme. Tout de suite à gauche de cette espèce de nez !

Ils y étaient en effet. Trois minuscules silhouettes noires se détachaient contre le ciel gris et se déplaçaient nettement. Il était évident que ceux du Nord avaient déjà occupé la partie inférieure de la crête et que, selon toutes probabilités, ils arriveraient au sommet avant eux.

— Bon Dieu, fit le capitaine avec un coup d'œil

rageur vers le bas, comme si les soldats eussent été responsables du retard. Puis, s'adressant à Angustina : Il faut au moins que ce soit nous qui occupions la cime. Pas d'histoires, sinon ça va barder avec le colonel !

— Il faudrait que ceux de là-bas s'arrêtent un peu, dit Angustina. De leur plate-forme à la cime, ils ne mettront pas plus d'une heure. S'ils ne s'arrêtent pas un peu, nous autres, nous arriverons forcément après eux.

— Peut-être vaut-il mieux que je parte en avant avec quatre hommes, dit alors le capitaine. Quand on est en petit nombre, on va plus vite. Vous suivrez tranquillement. Ou, plutôt, attendez ici, si vous vous sentez fatigué.

« C'est là qu'il voulait en venir, ce salaud », pensa Angustina. Il voulait le laisser en arrière, pour que tout le mérite lui revînt à lui seul.

— A vos ordres, mon capitaine, répondit-il. Mais j'aimerais mieux vous suivre. A rester sans bouger, on gèle.

Le capitaine, accompagné de quatre soldats choisis parmi les plus agiles, repartit donc, en éclaireur. Angustina prit le commandement des hommes qui restaient et espéra, mais en vain, pouvoir encore ne pas se laisser distancer par Monti. Son détachement était trop nombreux ; si l'on forçait l'allure, la file s'allongeait démesurément, si bien que l'on perdait complètement de vue les derniers.

De la sorte, Angustina vit la petite patrouille du capitaine disparaître en haut, derrière de grises corniches rocheuses. Pendant un bon moment, il entendit les petits éboulements de cailloux qu'ils provoquaient dans les fissures, puis il n'entendit même plus ceci. Jusqu'à leurs voix qui finirent par s'évanouir dans le lointain.

Cependant, le ciel s'assombrissait. Les rochers d'alentour, les parois blafardes de l'autre côté du col, le fond du précipice prenaient une teinte livide. De petits corbeaux volaient le long des aiguilles aériennes, en poussant des cris, ils semblaient s'avertir l'un l'autre de dangers imminents.

— Mon lieutenant, dit à Angustina le soldat qui le suivait, sous peu il va pleuvoir.

Angustina s'arrêta pour le regarder pendant un instant et ne répondit rien. A présent ses bottes ne lui faisaient plus mal, mais il se sentait envahi par une profonde fatigue. Chaque mètre de montée lui coûtait un effort extrême. Par chance, les roches, à cet endroit, étaient moins escarpées et encore plus déchiquetées que les précédentes. Qui sait jusqu'où était arrivé le capitaine, se demandait Angustina, peut-être était-il déjà au sommet, peut-être avait-il déjà planté le petit drapeau et posé le panneau frontière, peut-être était-il déjà sur le chemin du retour ?

Il regarda vers le haut et s'aperçut que la cime n'était plus très éloignée. Seulement, il ne voyait pas par où on allait pouvoir passer, tant les contreforts en étaient abrupts et lisses.

Finalement, ayant débouché sur une vaste plate-forme caillouteuse, Angustina se trouva à quelques mètres du capitaine Monti. Grimpé sur les épaules d'un soldat, l'officier essayait de se hisser le long d'une brève paroi à pic, laquelle n'avait certainement pas plus d'une douzaine de mètres, mais qui semblait inaccessible. Il était évident que Monti s'acharnait en vaines tentatives depuis plusieurs minutes déjà, sans parvenir à trouver un chemin.

Il tâtonna trois ou quatre fois, cherchant un point d'appui, sembla le trouver, puis on l'entendit qui jurait, et on le vit retomber de nouveau sur les épaules du soldat que l'effort faisait trembler tout entier. Finalement, il renonça et, d'un bond, se retrouva sur les cailloux de la plate-forme.

Monti, haletant de fatigue, regarda Angustina d'un air hostile.

— Vous pouviez attendre en bas, lieutenant, dit-il. Il est bien évident que tout le monde ne pourra pas passer par là ; ce sera déjà beau si je peux grimper, moi-même, avec un ou deux soldats. Il eût mieux valu que vous attendiez en bas, la nuit est proche maintenant, et redescendre devient une affaire sérieuse.

— C'est vous-même qui me l'avez dit, mon capitaine, répondit Angustina sans la moindre sympathie. Vous m'avez dit de faire comme je voudrais; ou bien d'attendre, ou bien de vous suivre.

— Bien, dit le capitaine. A présent, il faut trouver un chemin, il ne reste plus que ces quelques mètres à parcourir pour arriver à la cime.

— Comment ? La cime est tout de suite derrière ? demanda le lieutenant avec une indéfinissable ironie que Monti ne remarqua même pas.

— Il n'y a même pas douze mètres, grondait le capitaine. Bon Dieu, on va bien voir si je ne passerai pas. Même si je dois...

Il fut interrompu par un cri arrogant qui venait d'en haut : au-dessus du rebord supérieur de la courte muraille, deux têtes humaines, souriantes, se penchèrent.

— Bonsoir, messieurs, cria l'un des nouveau-venus, sans doute un officier. Vous n'arriverez pas à passer par là, il faut monter par la crête !

Les deux visages se retirèrent et l'on entendit seulement des voix confuses d'hommes qui parlaient entre eux.

Monti était livide de rage. Il n'y avait donc plus rien à faire. Ceux du Nord avaient maintenant occupé aussi la cime. Le capitaine s'assit sur l'un des rochers de la plate-forme, sans prêter attention à ses soldats qui continuaient à arriver d'en bas.

A ce moment précis, il se mit à neiger, une neige serrée et lourde, comme en plein hiver, les cailloux de la plate-forme devinrent blancs et la lumière vint brusquement à manquer. La nuit était tombée, la nuit à laquelle jusqu'alors personne n'avait sérieusement pensé.

— Bon Dieu ! rugit le capitaine, qu'est-ce que vous faites ? Roulez à nouveau vos capotes, et tout de suite ! Vous ne songez quand même pas à passer la nuit ici ? Maintenant, il faut redescendre.

— Si vous permettez, mon capitaine, dit Angustina, tant que les autres seront sur la cime...

— Quoi ? Quoi ? Qu'est-ce que vous voulez dire, vous ? demanda le capitaine avec colère.

— Il me semble que l'on ne peut pas rebrousser chemin, tant que ceux du Nord seront sur la cime. Ils sont arrivés les premiers et nous, nous n'avons plus rien à faire ici, mais nous aurions bonne mine si nous partions !

La capitaine ne répondit pas, il marcha de long en large pendant quelques instants, sur la vaste plate-forme. Puis il dit :

— Mais maintenant, ils vont bien s'en aller, eux

aussi : sur la cime, avec le temps qu'il fait, c'est encore pire qu'ici.

— Messieurs ! cria une voix qui venait d'en haut en même temps que quatre ou cinq têtes se penchaient par-dessus le rebord de la petite paroi rocheuse. Sans façons, prenez donc ces cordes, montez par ici, dans cette obscurité vous n'allez pas pouvoir redescendre !

En même temps, deux cordes furent jetées d'en haut, pour que ceux du fort pussent, en s'en servant, grimper le long de la courte muraille.

— Merci, répondit le capitaine Monti d'un air moqueur. Merci pour cette offre, mais nous avons l'habitude de nous débrouiller tout seuls.

— Comme vous voudrez ! cria-t-on encore de la cime. De toute façon, nous vous les laissons là, si jamais vous désirez vous en servir.

Un long silence suivit, on n'entendait que le bruissement de la neige, la quinte de toux d'un soldat. La visibilité était devenue presque complètement nulle, c'est à grand'peine que l'on parvenait à distinguer le bord de la petite paroi surplombante, d'où s'irradiait maintenant le reflet rouge d'une lanterne.

Plusieurs soldats du fort, ayant remis leurs capotes, avaient, eux aussi, allumé des lumières. On en apporta une au capitaine, au cas où il en aurait besoin.

— Mon capitaine, dit Angustina d'une voix lasse.

— Qu'y a-t-il encore ?

— Mon capitaine, que diriez-vous d'une petite partie ?

— Au diable les cartes ! répondit Monti qui

comprenait très bien que, cette nuit-là, il n'était plus question de redescendre.

Sans souffler mot, Angustina prit le jeu de cartes dans la sacoche du capitaine, confiée à un soldat par celui-ci. Il étendit sur une pierre un pan de son manteau, rapprocha la lanterne, commença de battre les cartes.

— Mon capitaine, répéta-t-il. Faites ce que je vous dis, même si vous n'en avez pas envie.

Monti comprit alors ce que voulait dire le lieutenant : devant ceux du Nord, qui étaient probablement en train de se moquer d'eux, il n'y avait rien d'autre à faire. Et, cependant que les soldats se blottissaient au pied de la paroi, profitant de chaque recoin, ou qu'ils se mettaient à manger au milieu des rires et des plaisanteries, les deux officiers commencèrent, sous la neige, une partie de cartes. Au-dessus d'eux, les roches à pic, au-dessous, le sombre précipice.

— Capot, capot ! entendit-on crier d'en haut, d'un ton moqueur.

Ni Monti, ni Angustina ne levèrent la tête, ils continuèrent de jouer. La capitaine, néanmoins, jouait sans entrain, jetant avec rage les cartes sur le manteau. En vain Angustina tentait-il de plaisanter :

— Magnifique, deux as à la suite... mais, celui-ci, c'est moi qui le prends... Avouez donc que vous aviez oublié ce trois de bâtons...

Et il riait même de temps en temps : d'un rire qui semblait sincère.

D'en haut parvint à nouveau un bruit de voix, puis des bruits de cailloux piétinés : probablement les autres étaient sur le point de s'en aller.

— Bonne chance ! cria encore vers eux la voix de tout à l'heure. Amusez-vous bien... et n'oubliez pas les deux cordes !

Ni le capitaine, ni Angustina ne répondirent. Ils continuèrent de jouer sans même un geste en guise de réponse, faisant montre d'une grande concentration.

Le reflet de la lanterne disparut de la cime ; évidemment, ceux du Nord étaient en train de s'en aller. Sous la neige drue, les cartes étaient maintenant trempées, et l'on avait du mal à les battre.

— Maintenant, ça suffit ! fit le capitaine en jetant ses cartes sur le manteau. Cette comédie a assez duré !

Il se retira sous les roches, s'enveloppa avec soin dans son manteau.

— Toni ! appela-t-il. Apporte-moi ma sacoche et trouve-moi un peu d'eau à boire.

— Ils nous voient encore, dit Angustina. Ils nous voient encore de la crête !

Mais, comprenant que Monti en avait assez, il continua tout seul, faisant comme si la partie se poursuivait.

Poussant les bruyantes exclamations de tradition quand on joue à la *scopa*, le lieutenant tenait ses cartes de la main gauche, de la droite, il les jetait sur le pan de manteau, faisant semblant de ramasser les levées ; à travers cette neige drue, les étrangers ne pouvaient certainement pas s'apercevoir, de la crête, que l'officier jouait tout seul.

Cependant une horrible sensation de froid s'était emparée de lui, jusqu'aux entrailles. Il avait le sentiment qu'il ne serait probablement plus jamais capable de bouger, ni même de s'étendre ;

jamais, à son souvenir, il ne s'était senti aussi mal. On apercevait encore sur la crête le reflet oscillant de la lanterne des autres qui s'éloignait ; les autres pouvaient encore le voir. *(Et à la fenêtre du merveilleux palais, voici une frêle silhouette : c'est lui, Angustina, enfant, d'une pâleur impressionnante, vêtu d'un élégant costume de velours, avec un col de dentelle blanche ; d'un geste las, il ouvre la fenêtre, se penchant vers les ondoyants esprits accrochés au balcon, comme s'il y avait entre eux et lui une grande familiarité et qu'il voulût leur dire quelque chose.)*

— Capot, capot ! tentait-il encore de crier pour être entendu par les étrangers, mais il n'avait plus qu'une pauvre voix rauque et épuisée. Bon Dieu, mon capitaine, c'est la seconde fois que vous êtes capot !

Enveloppé de son manteau, mâchant lentement quelque chose, Monti regardait maintenant Angustina avec attention et sa colère allait toujours décroissant.

— Ça suffit, lieutenant, venez vous mettre à l'abri, maintenant ceux du Nord sont partis.

— Vous êtes beaucoup plus fort que moi, mon capitaine, disait Angustina persistant dans sa comédie, la voix de plus en plus faible. Mais ce soir, vous n'êtes vraiment pas en veine. Pourquoi continuez-vous à regarder en haut ? Pourquoi regardez-vous la cime ? Peut-être êtes-vous un peu nerveux ?

Alors, dans le tourbillonnement de la neige, les dernières cartes trempées s'échappèrent de la main du lieutenant Angustina, la main elle-même retomba sans vie et demeura inerte le long du manteau, à la lueur tremblotante de la lanterne.

Le dos appuyé à un rocher, le lieutenant se laissa

aller lentement en arrière, une étrange somnolence l'envahissait. *(Et, vers le palais, dans la nuit de pleine lune, s'avançait dans les airs un mince cortège d'autres esprits qui tiraient un petit palanquin.)*

— Lieutenant, venez donc ici manger un morceau. Par ce froid, il faut manger, forcez-vous, même si vous n'en avez pas envie ! Ainsi criait le capitaine, et une ombre d'appréhension faisait vibrer sa voix. Venez donc vous abriter, la neige va bientôt cesser.

Et c'était vrai : presque d'un coup, les flocons blancs s'étaient mis à tomber moins drus et moins lourds, l'atmosphère était devenue plus claire, et l'on pouvait déjà entrevoir, à la lueur des lanternes, des rochers distants de plusieurs dizaines de mètres.

Et soudain, à travers une déchirure de la tourmente, à une distance incalculable, les lumières du fort apparurent. Elles semblaient en nombre infini, les lumières d'un château enchanté plongé dans la liesse d'antiques carnavals. Angustina les vit et un faible sourire se forma lentement sur ses lèvres engourdies par le froid.

— Lieutenant, appela encore le capitaine qui commençait à comprendre. Lieutenant, jetez ces cartes et venez ici, on y est à l'abri du vent.

Mais Angustina regardait les lumières et, à la vérité, il ne savait plus exactement d'où elles venaient, si c'était du fort ou de la ville lointaine, ou encore de son propre château où personne n'attendait son retour.

Peut-être qu'à ce même moment, sur les glacis du fort, une sentinelle, ayant accidentellement tourné les yeux vers les montagnes, avait aperçu les lumières sur le haut sommet ; à une telle distance, la petite paroi hostile était moins que rien, était comme inexistente. Et peut-être était-ce justement Drogo qui commandait la garde, Drogo qui, probablement, s'il l'avait désiré, eût pu partir avec le capitaine Monti et Angustina. Mais cette expédition avait paru stupide à Drogo : une fois dissipée la menace des Tartares, cette mission lui avait semblé n'être qu'une corvée, dans laquelle il n'y avait rien à gagner. A ce moment-là, pourtant, Drogo, lui aussi, voyait clignoter les lanternes sur la cime et il commençait à regretter de ne pas être parti. Ce n'était donc pas seulement dans la guerre que l'on pouvait trouver quelque chose de digne de soi ; et maintenant il eût voulu être, lui aussi, là-haut, au cœur de la nuit et de la tempête. Trop tard, l'occasion était passée à côté de lui et il l'avait laissée s'enfuir.

Bien reposé et au sec, enveloppé dans son chaud manteau, Giovanni Drogo regardait peut-être avec envie les lointaines lumières, cependant qu'Angustina, tout entier recouvert de neige, employait avec difficulté ses dernières forces à lisser ses moustaches mouillées et à draper minutieusement sur lui son manteau, ceci non point dans le dessein de s'y envelopper davantage et d'avoir plus chaud, mais pour une raison connue de lui seul. De son abri, le capitaine Monti le regardait stupéfait, il se demandait ce qu'Angustina était en train de fabriquer et où diable il avait déjà vu un spectacle analogue, sans pourtant parvenir à se rappeler.

Il y avait dans une salle du fort un vieux tableau représentant la fin du prince Sébastien. Mortellement blessé, le prince Sébastien gisait au cœur de la forêt, le dos appuyé à un tronc d'arbre, la tête légèrement penchée d'un côté, le manteau retombant en plis harmonieux ; il n'y avait rien dans cette image de la déplaisante cruauté physique de la mort ; et en la regardant, on ne s'étonnait pas que le peintre eût conservé au prince toute sa noblesse et son extrême élégance.

Voilà qu'à présent Angustina, oh ! non pas qu'il le fît exprès, se mettait à ressembler au prince Sébastien blessé, gisant au cœur de la forêt ; Angustina ne portait pas comme lui une luisante cuirasse, à ses pieds ne gisaient ni casque ensanglanté ni épée brisée ; il n'avait pas le dos appuyé à un tronc d'arbre, mais à une dure pierre ; ce n'étaient pas les derniers rayons du couchant qui éclairaient son visage, mais seulement une faible lanterne. Et pourtant Angustina ressemblait étonnament au prince Sébastien, identique était la position des membres, identique le drapé du manteau, identique cette expression de suprême lassitude.

Alors, à côté d'Angustina, le capitaine, le sergent et tous les autres soldats, bien plus vigoureux et plus fringants, semblèrent, les uns et les autres, des rustres grossiers. Et aussi invraisemblable que ceci pût paraître, une stupeur pleine d'envie s'empara de l'âme de Monti.

La neige avait cessé de tomber, le vent, dans les rochers, poussait des cris lugubres, soulevait des tourbillons d'une poussière glacée, faisait vaciller la petite flamme des lanternes derrière les vitres de celles-ci. Mais ce vent, on eût dit qu'Angustina ne le sentait pas : il demeurait immobile, appuyé à la grosse pierre, les yeux fixés sur les lointaines lumières du fort.

— Lieutenant ! essaya encore de dire le capitaine Monti. Lieutenant ! Lieutenant ! décidez-vous ! Venez donc ici ; si vous restez là, vous ne pourrez pas y tenir, vous allez finir gelé. Venez donc ici. Toni a construit une sorte d'abri.

— Merci, mon capitaine, articula péniblement Angustina, et, parler lui coûtant un trop grand effort, il leva légèrement une main, faisant un geste comme pour dire que cela n'avait pas d'importance, que tout cela ce n'étaient que bêtises, sans plus. *(A la fin, le chef des esprits lui fit un signe impérieux et Angustina, de son air ennuyé, enjamba l'appui de la fenêtre et s'assit avec grâce dans le petit palanquin. Le véhicule enchanté s'ébranla doucement pour partir.)*

Pendant quelques minutes, on n'entendit que le cri rauque du vent. Les soldats eux-mêmes, entassés par groupes sous les rochers, pour avoir plus chaud, avaient perdu l'envie de plaisanter et luttaient en silence contre le froid.

Le vent s'interrompant un instant, Angustina releva un peu la tête, remua lentement les lèvres pour parler et ne parvint à articuler que ces trois mots : « Demain, il faudrait... » Et puis, plus rien. Trois mots seulement et si faibles que même le capitaine Monti ne s'aperçut pas qu'Angustina avait parlé.

Trois mots et la tête d'Angustina retomba en avant, abandonnée à elle-même. Blanche et raide, une main gît parmi les plis du manteau, la bouche est parvenue à se refermer, et, de nouveau, un faible sourire s'est formé sur les lèvres. *(Tandis que le petit palanquin l'emportait, il détacha ses regards de son ami et tourna la tête vers l'avant, dans la direc-*

tion du cortège, avec une sorte de curiosité amusée et méfiante. Il s'éloigna de la sorte dans la nuit, avec une noblesse quasi inhumaine. Le cortège magique monta en serpentant lentement dans le ciel, toujours plus haut, devint une ligne confuse, puis une minuscule touffe de vapeur, puis il disparut.)

Que voulais-tu dire, Angustina ? Que faudrait-il demain ? Le capitaine Monti, abandonnant finalement son abri, secoue avec vigueur le lieutenant par les épaules pour lui faire reprendre connaissance ; mais il ne réussit qu'à déranger les nobles plis du martial linceul, et c'est dommage. Aucun des soldats ne s'est encore aperçu de ce qui vient de se passer.

Aux imprécations de Monti, la voix du vent, montant du sombre précipice, est seule à répondre. Que voulais-tu dire, Angustina ? Tu t'en es allé sans achever ta phrase ; peut-être n'était-ce qu'une chose idiote et banale, peut-être un espoir absurde, peut-être aussi n'était-ce rien.

XVI

Une fois le lieutenant Angustina enterré, les jours s'écoulèrent de nouveau, au fort, semblables à ce qu'ils étaient auparavant.

— Ça fait combien maintenant ? demandait le commandant Ortiz à Drogo.

— Ça fait quatre ans que je suis ici, disait Drogo.

L'hiver, cette longue saison, était venu brusquement. La neige allait tomber, il y en aurait d'abord quatre ou cinq centimètres ; puis, après une pause, une couche plus épaisse, et puis il y aurait d'autres chutes encore, il semblait impossible d'en prévoir le nombre, beaucoup de temps passerait avant que revînt le printemps. (Et pourtant, un jour, bien avant le moment prévu, bien avant, on entendra ruisseler des cascades d'eau du rebord des terrasses et, inexplicablement, l'hiver sera fini.)

Enveloppé dans le drapeau, le cercueil du lieutenant Angustina reposait sous terre dans un petit enclos situé à proximité du fort. Au-dessus, il y avait une croix de pierre blanche sur laquelle son nom était écrit. Pour le soldat Lazzari, un peu plus loin. une croix plus petite, en bois.

— Parfois, remarqua Ortiz, je me dis : nous désirons la guerre, nous attendons l'occasion favorable, nous crions à la malchance parce qu'il n'arrive jamais rien. Et pourtant, vous avez vu ? Angustina...

— Voulez-vous dire, fit Giovanni Drogo, voulez-vous dire qu'Angustina n'a pas eu besoin de la chance ? Qu'il a su s'en passer ?

— Il était faible de constitution, dit le commandant Ortiz, je crois même qu'il était malade. En fait, il avait moins de santé que nous tous. Comme nous, il n'a pas affronté l'ennemi, pour lui non plus il n'y a pas eu la guerre. Et pourtant, il est mort comme dans une bataille. Vous le savez, lieutenant, comment il est mort ?

— Oui, dit Drogo, j'étais là, moi aussi, quand le capitaine Monti l'a raconté.

L'hiver était venu et les étrangers en s'étaient allés. Les beaux étendards de l'espoir, aux reflets sanglants peut-être, s'étaient lentement abaissés et l'âme était de nouveau tranquille ; mais le ciel était resté vide : inutilement, l'œil cherchait encore quelque chose aux limites extrêmes de l'horizon.

— Effectivement, dit le commandant Ortiz, il a su mourir au bon moment. Comme s'il avait reçu une balle. Un héros, il n'y a pas d'autre mot. Et pourtant, personne ne tirait. Les probabilités étaient identiques pour tous les autres qui étaient avec lui ce jour-là, il n'avait vraiment aucun avantage sur eux, sinon peut-être celui de pouvoir mourir plus facilement. Mais, au fond, les autres, qu'est-ce qu'ils ont fait ? Pour les autres, ç'a été une journée à peu près comme toutes les autres.

— Oui, dit Drogo, un peu plus froide seulement.

— Oui, fit Ortiz, un peu plus froide. Vous aussi, du reste, lieutenant, vous auriez pu aller avec eux, il suffisait d'en faire la demande.

Ils étaient assis sur un banc de bois, sur la terrasse la plus élevée de la quatrième redoute. Ortiz était venu trouver le lieutenant Drogo, qui était de service. De jour en jour, une solide amitié croissait entre les deux hommes.

Ils étaient assis sur un banc, enveloppés dans leur manteau, laissant errer leurs regards dans la direction du Nord, où s'amoncelaient de grands nuages informes lourds de neige. De temps en temps, le vent du nord soufflait, glaçant leurs vêtements. A droite et à gauche du col, les hautes cimes rocheuses étaient devenues noires.

— Je crois bien, dit Drogo, que demain il neigera ici aussi.

— C'est probable, répondit le commandant avec indifférence, et il se tut.

— Oui, il va neiger, dit encore Drogo. Les corbeaux ne cessent de passer.

— C'est aussi notre faute, fit Ortiz qui suivait obstinément son idée. Après tout, on a toujours ce qu'on mérite. Angustina, par exemple, était disposé à payer cher ; nous, par contre, nous ne le sommes pas, peut-être que toute la question est là. Peut-être nous autres demandons-nous trop. En réalité, on a toujours ce qu'on mérite.

— Et alors ? demanda Drogo, et alors, que devrions-nous faire ?

— Oh ! moi, rien, dit Ortiz avec un sourire. Moi, maintenant, j'ai trop attendu, mais vous...

— Quoi donc, moi ?

— Partez pendant qu'il en est encore temps, retournez à la ville, contentez-vous de la vie de garnison. Après tout, vous n'avez pas l'air d'être homme à mépriser les plaisirs de la vie. Vous aurez certainement de l'avancement, et plus vite qu'ici. Et puis, on n'est pas tous nés pour faire des héros.

Drogo se taisait.

— Vous avez déjà laissé passer quatre ans, disait Ortiz. Cela comptera dans vos notes. Je vous le concède, mais pensez combien plus utile eût été pour vous de rester en ville. Vous êtes resté ici, coupé du monde extérieur, personne ne se souvient plus de vous, retournez là-bas pendant qu'il en est encore temps.

Les yeux fixés à terre, Giovanni écoutait sans mot dire.

— J'en ai déjà vu d'autres comme vous, continua le commandant. Peu à peu, ils ont pris l'habitude d'être au fort, ils y sont restés emprisonnés, ils n'ont plus été capables d'en bouger. Vieux à trente ans, en fait.

— Je vous crois, mon commandant, dit Drogo, mais à mon âge...

— Vous êtes jeune, reprit Ortiz, et vous le serez encore longtemps, c'est vrai. Mais, moi, je ne m'y fierais pas. Laissez seulement passer deux années encore, rien que deux années suffisent, et vous en aller vous coûtera un trop gros effort.

— Je vous remercie, dit Drogo, pas du tout impressionné par ces paroles. Mais, au fond, ici au fort, on peut espérer en quelque chose de mieux. C'est peut-être absurde, et pourtant, vous-même, si vous voulez être sincère, vous devez avouer...

— Peut-être que oui, hélas ! dit le commandant. Tous, plus ou moins, nous nous obstinons à espérer. Mais c'est absurde, il suffit d'y penser un peu (et de la main il faisait un signe vers le nord). De par là, il ne pourra jamais plus venir de guerre. Surtout maintenant, après cette dernière expérience, qui voulez-vous qui y croie encore sérieusement ?

Tout en parlant ainsi, il s'était levé, le regard toujours fixé sur le Septentrion, comme par cette lointaine matinée, sur le bord du plateau, où Drogo l'avait vu contempler, fasciné, les murs énigmatiques du fort. Quatre années s'étaient écoulées depuis lors, une respectable fraction de vie, et rien, absolument rien n'était arrivé qui pût justifier tant d'espoirs. Les jours s'étaient enfuis l'un après l'autre ; des soldats, qui pouvaient être des ennemis, étaient apparus un matin aux confins de la plaine étrangère, puis ils s'étaient retirés après avoir effectué d'inoffensives opérations de cadastre. La paix régnait sur le monde, les sentinelles ne donnaient pas l'alarme, rien ne laissait présager que l'existence pût changer. Comme au cours des années passées, avec les mêmes formalités, l'hiver s'avançait maintenant et le souffle de la tramontane contre les baïonnettes faisait un léger sifflement. Et voici encore, debout sur la terrasse de la quatrième redoute, le commandant Ortiz, il ne croit pas à ses propres paroles de sagesse, il regarde une fois de plus la lande du nord, comme s'il était le seul à avoir vraiment le droit de le faire, le seul à avoir le droit de rester là, peu importe dans quel dessein, et comme si, en revanche, Drogo était un brave garçon qui s'était fourvoyé, qui s'était trompé dans ses calculs et qui ferait bien de s'en retourner là d'où il venait.

XVII

Jusqu'au moment où la neige, sur les terrasses du fort, fut devenue molle et où les pieds s'y enfoncèrent comme dans la vase. Le doux bruit des eaux se fit alors de nouveau brusquement entendre, venu des montagnes les plus proches, et, le long des versants à pic, on apercevait des bandes blanches et verticales qui étincelaient au soleil, et, de temps en temps, les soldats se surprenaient à chantonner, ce qu'ils n'avaient pas fait depuis des mois.

Le soleil ne s'enfuyait plus aussi vite qu'avant, anxieux de se coucher, mais il commençait à s'attarder un peu au milieu du ciel, dévorant la neige accumulée, et c'était en vain que des nuages se précipitaient encore des glaciers du nord : ils n'arrivaient plus à fabriquer de la neige, mais seulement de la pluie, et cette pluie ne faisait qu'amener la fonte du peu de neige qui restait. La belle saison était revenue.

Déjà, le matin, retentissaient des chants d'oiseaux que tous croyaient avoir oubliés. Par contre, les corbeaux ne restaient plus assemblés sur le plateau du fort, à attendre les détritus des cuisines, mais ils se dispersaient dans les vallées en quête de proies vivantes.

La nuit, dans les chambrées, les planches à paquetages, les râteliers d'armes, les portes, et même les beaux meubles en noyer massif de la chambre du colonel, tout ce qu'il y avait de bois au fort, y compris les boiseries les plus anciennes, faisaient entendre des craquements dans l'obscurité. Parfois, c'étaient de brefs éclatements, semblables à des coups de pistolets, il semblait vraiment que quelque chose se fût brisé, on se réveillait et l'on tendait l'oreille : mais l'on ne parvenait à entendre que d'autres craquements qui chuchotaient dans la nuit.

C'est l'époque où un regret tenace de la vie ressuscite chez les vieilles planches. Il y a très longtemps, aux jours heureux, elles connaissaient alors un afflux juvénile de chaleur et de force, des bouquets de bourgeons sortaient des branches. Puis la plante avait été abattue. Et maintenant que c'est de nouveau le printemps, un frisson de vie, infiniment léger, s'éveille encore dans chacun de ses fragments. Jadis feuilles et fleurs ; maintenant, plus qu'un vague souvenir, ce qu'il faut pour faire crac, et puis c'est fini jusqu'à l'année prochaine.

C'est l'époque où les hommes du fort commencent à avoir d'étranges pensées qui n'ont rien de militaire. Les murs ne sont plus un abri hospitalier, ils donnent l'impression d'être ceux d'une prison. Leur aspect dénudé, les traînées noirâtres des écoulements d'eau, les arêtes obliques des bastions, la couleur jaune de ceux-ci ne répondent plus le moins du monde aux nouvelles dispositions d'esprit.

Par cette matinée de printemps, un officier — il est de dos, aussi ne peut-on savoir qui c'est et ce pourrait aussi bien être Giovanni Drogo — marche d'un air ennuyé, dans les vastes lavabos de la troupe, déserts à cette heure. Il n'a ni inspection ni contrôle à faire ; il se promène ainsi, surtout pour bouger ; du reste, tout est en ordre, les cuvettes sont propres, le carrelage balayé, et ce n'est pas la faute des soldats si ce robinet fuit.

L'officier s'arrête, levant les yeux vers l'une des fenêtres haut placées. Les vitres sont fermées, il y a probablement des années qu'on ne les a lavées et des toiles d'araignée pendent dans les coins. Il n'y a rien là qui puisse, d'une façon ou d'une autre, réconforter l'âme. Pourtant, derrière ces vitres, on parvient à apercevoir quelque chose qui ressemble à un ciel. Et, dans ce ciel — pense peut-être l'officier — brille un soleil qui illumine en même temps ces lavabos blafards et de lointaines prairies.

Les prairies sont vertes et sans doute de blanches petites fleurs viennent-elles d'y faire leur apparition. Les arbres aussi, comme de juste, ont leurs nouvelles feuilles. Ce serait merveilleux de chevaucher sans but à travers la campagne. Et de voir s'avancer dans un petit chemin creux une jolie fille et qui vous saluerait d'un sourire quand on passerait à cheval près d'elle. Mais quelle idée ridicule, est-il admissible qu'un officier du fort Bastiani ait des pensées aussi stupides ?

Si étrange que cela puisse paraître, on parvient même à voir, à travers la fenêtre poussiéreuse du lavabo, un nuage blanc d'une jolie forme. Des nuages identiques naviguent en ce même moment au-dessus de la ville lointaine ; les gens qui se promènent tranquillement les regardent de temps à autre, heureux que l'hiver soit fini, ils ont presque tous des costumes neufs ou remis à neuf, les jeunes femmes portent des chapeaux à fleurs et des robes de couleurs vives. Tout le monde a l'air content, comme si chacun attendait la venue, d'un instant à l'autre, d'événements agréables. Jadis, du moins, il en était ainsi, peut-être maintenant les choses ont-elles changé. Et s'il y avait une belle fille à un balcon et que, au moment où l'on passe dessous, elle vous saluât amicalement d'un beau sourire ? Toutes choses ridicules au fond, bêtises de collégien.

A travers les vitres sales on aperçoit, de guingois, un pan de mur. Lui aussi est inondé de soleil, mais il n'en est pas moins sinistre. C'est un mur de caserne, et qu'il fasse soleil ou clair de lune, cela lui est totalement indifférent, il lui suffit qu'il ne naisse pas d'obstacles à la bonne marche du service. C'est un mur de caserne et rien de plus. Et pourtant un jour, un jour d'un lointain mois de septembre, l'officier s'était attardé à les contempler, ces murs, presque fasciné ; ils semblaient alors tenir en réserve pour lui un sévère, mais enviable destin. Encore que ne parvenant pas à les trouver beaux, il était resté immobile devant eux pendant plusieurs minutes, comme devant un prodige.

Un officier erre à travers les lavabos déserts, d'autres sont de service aux diverses redoutes, d'autres chevauchent dans la plaine pierreuse, d'autres sont assis dans leurs bureaux. Chacun d'eux trouve, sans bien savoir pourquoi, que la tête du voisin lui tape sur les nerfs. Toujours les mêmes têtes, pense instinctivement chacun, toujours les mêmes discours, le même service, les mêmes paperasses. Et pendant ce temps, de tendres désirs fermentent, il n'est pas facile de définir avec exactitude ce que l'on voudrait : certes point, en tout cas, ces murs, ces soldats, ces sonneries de trompette.

Alors, petit cheval, galope le long de la route de la plaine, galope avant qu'il ne soit trop tard, ne t'arrête pas, même si tu es fatigué, avant de voir les vertes prairies, les arbres familiers, les habitations des hommes, les églises et les clochers.

Et alors, adieu fort Bastiani, s'attarder encore serait dangereux, ton facile mystère est tombé, la plaine du Nord continuera de rester déserte, jamais plus ne viendront les ennemis, jamais personne ne viendra donner l'assaut à tes pauvres remparts. Adieu, commandant Ortiz, adieu, mélancolique ami qui n'es plus capable de t'arracher à cette bâtisse ; et adieu à tant d'autres qui te ressemblent, qui, trop longtemps, comme toi, se sont obstinés à espérer : le temps a été plus rapide que vous et vous ne pouvez pas recommencer.

Giovanni Drogo, lui, si, le peut. Rien ne le retient plus au fort. Maintenant, il retourne en plaine, il rentre dans la société des hommes, il obtiendra facilement un poste quelconque, peut-être même une mission à l'étranger, dans la suite d'un général. Au cours de ces années qu'il a passées au fort, il est certain que beaucoup de belles occasions lui ont échappé, mais Giovanni est encore jeune, il lui reste encore tout le temps nécessaire pour les rattraper.

Adieu donc, fort Bastiani, avec tes redoutes absurdes, tes soldats patients, ton colonel qui, chaque matin, en catimini, scrute avec sa longue-vue le désert du septentrion, mais inutilement, il n'y a jamais rien. Un salut à la tombe d'Angustina, peut-être est-ce lui qui a eu le plus de chance de tous, lui, au moins, est mort en vrai soldat, une plus belle mort en tout cas que celle qui l'attendait probablement sur un lit d'hôpital. Un salut à cette chambre où, après tout, Drogo a dormi honnêtement des centaines de nuits. Un autre salut à la cour où, ce soir encore avec les habituelles formalités, les gardes montantes se rangeront. L'ultime salut à la plaine du nord, maintenant vide d'illusions.

N'y pense plus, Giovanni Drogo, ne te retourne pas, maintenant que tu es arrivé à la limite du plateau et que la route est sur le point de s'enfoncer dans la vallée. Ce serait une faiblesse stupide. On peut dire que tu connais pierre par pierre le fort Bastiani, tu ne risques certes pas de l'oublier. Le cheval trotte allègrement, la journée est belle, l'air tiède et léger, la vie devant toi longue encore, presque encore à son début ; quel besoin y aurait-il de jeter un dernier coup d'œil sur les remparts, sur les casemates, sur les sentinelles qui arpentent le chemin de ronde des redoutes ? C'est ainsi qu'une page est lentement tournée, elle retombe de l'autre côté, s'ajoutant aux autres déjà terminées, pour le moment, cela ne fait qu'une mince couche, celles qui restent à lire, en comparaison, forment un tas inépuisable. Mais c'est tout de même une page de plus qui est terminée, mon lieutenant, une portion de vie.

En fait, une fois arrivé au bord du plateau pierreux, Drogo ne se retourne pas pour regarder ; sans même l'ombre d'une hésitation, il éperonne son cheval et s'engage dans la descente, il n'esquisse même pas le geste de tourner la tête, il sifflote une chanson avec une certaine désinvolture, bien que cela lui demande un léger effort.

XVIII

La porte de la maison s'ouvrit et Drogo sentit tout de suite la vieille odeur familière, comme lorsque, enfant, il revenait en ville après les mois d'été. C'était une odeur familière et amie, et pourtant, après si longtemps, il s'y mêlait un je ne sais quoi de mesquin. Oui, cette odeur rappelait à Giovanni les années lointaines, la douceur de certains dimanches, les joyeux dîners, l'enfance perdue, mais elle lui parlait aussi de fenêtres closes, de devoirs, de toilette matinale, de maladies, de disputes, de souris.

— Oh ! monsieur Giovanni ! lui cria, joyeuse, la brave Giovanna qui lui avait ouvert la porte.

Et sa mère arriva tout de suite ; toujours la même, grâce à Dieu.

Tandis que, assis au salon, il essayait de répondre à toutes les questions qu'on lui posait, il sentait sa joie se transformer en une tristesse désabusée. La maison lui semblait vide en comparaison d'autrefois ; de ses frères, l'un était parti pour l'étranger, un autre était en voyage Dieu sait où, et le troisième était à la campagne. Seule restait sa mère, mais elle aussi devait sous peu sortir, pour aller assister à une cérémonie, à l'église où l'attendait une amie.

Sa chambre était restée identique, telle exactement qu'il l'avait laissée, pas un livre n'avait été déplacé, pourtant, elle lui sembla celle d'un autre. Il s'assit dans le fauteuil, écouta le bruit des voitures dans la rue, le murmure qui venait par intermittences de la cuisine. Il était tout seul dans sa chambre, sa mère priait à l'église, ses frères étaient loin, le monde entier vivait donc en se passant parfaitement de Giovanni Drogo. Il ouvrit une fenêtre, vit les maisons grises, des toits et encore des toits, le ciel de suie. Il chercha dans un tiroir ses vieux cahiers d'écolier, un journal qu'il avait tenu pendant des années, certaines lettres ; il s'étonna d'avoir écrit ces choses, il ne s'en souvenait plus du tout, tout cela se rapportait à des événements étranges et oubliés. Il s'assit au piano, essaya de plaquer un accord, referma le couvercle du clavier. Et maintenant ? se demandait-il.

Tel un étranger, il erra par la ville, à la recherche de ses anciens amis, et il apprit qu'ils étaient tous très occupés, dans les affaires, dans de grandes entreprises, dans la politique. Ils lui parlèrent de choses sérieuses et importantes, d'usines, de voies ferrées, d'hôpitaux. L'un d'eux l'invita à dîner, un autre s'était marié, ils avaient tous pris des routes différentes et, en quatre ans, ils étaient déjà loin. Il essayait, mais, malgré tous ses efforts, il n'y parvenait pas (mais, lui aussi, peut-être, n'en était plus capable) de faire renaître les conversations de jadis, les vieilles plaisanteries, les expressions convenues. Il parcourait la ville à la recherche de ses vieux amis — et ceux-ci avaient été nombreux — mais il finissait par se retrouver seul sur un trottoir, avec, devant lui, de longues heures vides avant de voir arriver le soir.

La nuit, il restait dehors jusqu'à une heure tardive, bien décidé à s'amuser. Chaque fois, il sortait plein des vagues espoirs de bonne fortune habituels aux jeunes gens, et chaque fois il rentrait déçu. Il se reprit à haïr les rues qui le ramenaient, solitaire, chez lui, toujours les mêmes et toujours désertes.

Il y eut, à ce moment-là, un grand bal et Drogo, pénétrant dans les salons en compagnie de Vescovi, le seul ami qu'il eût retrouvé, se sentait dans les meilleurs dispositions d'esprit. Bien que ce fût déjà le printemps, la nuit serait longue, un laps de temps presque illimité ; tant de choses pouvaient se produire avant l'aube, lesquelles, Drogo n'était pas capable de le spécifier exactement, mais il était sûr de plusieurs heures de plaisir sans mélange. Il avait en effet commencé à flirter avec une jeune fille vêtue de mauve et minuit n'avait pas encore sonné, peut-être qu'avant le jour l'amour naîtrait ; mais voici que le maître de maison l'appela pour lui faire visiter en détail son hôtel, l'entraîna dans des tas de labyrinthes et de recoins, le retint longuement dans la bibliothèque, l'obligea à admirer pièce par pièce une collection d'armes ; il lui parlait de stratégie, rappelait des blagues de caserne, rapportait des potins sur la Cour, et pendant ce temps les heures passaient, les aiguilles s'étaient mises à tourner à une vitesse terrible. Quand Drogo parvint à se libérer, anxieux de regagner le bal, la jeune fille en mauve avait disparu, probablement déjà rentrée chez elle.

En vain Drogo tenta-t-il de boire, en vain rit-il sans raison, le vin lui-même n'agissait plus. Et la musique des violons se faisait toujours plus faible ; à un certain moment ils jouèrent littéralement à vide, car plus personne ne dansait. Drogo se retrouva, la bouche amère, parmi les arbres du jardin, il entendait les échos incertains d'une valse cependant que l'enchantement de la fête s'évanouissait et que le ciel pâlissait lentement dans l'aube naissante.

Tandis que les étoiles disparaissaient, Drogo resta au milieu des noires ombres végétales, à regarder poindre le jour, cependant qu'une à une les belles voitures s'éloignaient du palais. A présent, les musiciens s'étaient tus, eux aussi, et un laquais parcourait les salons pour baisser les lumières. Dans un arbre, juste au-dessus de Drogo, retentit, aigu et cristallin, le trille d'un petit oiseau. Progressivement, le ciel devenait plus clair, tout reposait silencieux, dans l'attente confiante d'une belle journée. A ce moment, pensa Drogo, les premiers rayons du soleil avaient déjà atteint les bastions du fort et les sentinelles engourdies par le froid. Son oreille attendit inutilement une sonnerie de trompette.

Il traversa la ville endormie, la ville encore plongée dans le sommeil, il ouvrit avec un bruit exagéré la porte d'entrée de la maison. Dans l'appartement, un peu de lumière filtrait déjà par les fentes des persiennes.

— Bonsoir, maman, dit-il en passant dans le couloir et, de la chambre, de l'autre côté de la porte, il lui parut que, comme d'habitude, comme au temps lointain où il rentrait à la maison tard dans la nuit, un son confus, une voix affectueuse, bien qu'engourdie par le sommeil, lui répondait. Et il se dirigeait presque calmé vers sa propre chambre quand il s'aperçut que sa mère parlait.

— Qu'as-tu, maman ? demanda-t-il dans le vaste silence.

Au même instant, il comprit qu'il avait confondu le roulement d'une voiture lointaine avec la chère voix. A la vérité, sa mère n'avait pas répondu, les pas nocturnes de son fils ne pouvaient plus la réveiller comme jadis, ils étaient devenus comme étrangers, c'était presque comme si, avec le temps, leur sonorité eût changé.

Jadis, ses pas l'atteignaient dans le sommeil comme un appel convenu. Tous les autres bruits de la nuit, même s'ils étaient beaucoup plus forts, ne suffisaient pas à la réveiller, ni les charrettes dans la rue, ni les pleurs d'un enfant, ni les hurlements des chiens, ni les chouettes, ni le battement d'un volet, ni le vent dans les cheminées, ni la pluie, ni le craquement des meubles. Seuls les pas de son fils la réveillaient, non pas qu'ils fussent bruyants (Giovanni marchait même sur la pointe des pieds). Aucune raison spéciale, en dehors du fait qu'il était son fils.

Mais, ainsi, maintenant cela aussi était fini. Maintenant, il avait dit bonsoir à sa mère comme jadis, avec la même inflexion de voix, certain qu'au bruit familier de ses pas elle se réveillerait. Mais nul ne lui avait répondu, hormis le roulement de la lointaine voiture. C'était stupide, pensa-t-il, ce n'était peut-être qu'une ridicule coïncidence. Et pourtant, il lui en restait, tandis qu'il se préparait à se mettre au lit, une impression amère, comme si l'affection de jadis se fût atténuée, comme si entre eux deux le temps et la distance eussent lentement tissé un voile de séparation.

XIX

Puis il alla voir Maria, la sœur de son ami Francesco Vescovi. La maison des Vescovi était entourée d'un jardin et, comme on était au printemps, les arbres avaient leurs nouvelles feuilles et, dans les branches, les petits oiseaux chantaient.

Maria vint à sa rencontre, sur le seuil, souriante. Elle avait appris qu'il allait venir et avait mis une robe bleue, serrée à la taille, semblable à une autre robe qu'il avait aimée jadis.

Drogo avait pensé que ç'allait être pour lui une grande émotion, que son cœur allait battre. Au lieu de cela, quand il fut près d'elle et qu'il revit son sourire, qu'il entendit le son de sa voix qui disait : « Oh ! Giovanni, enfin ! » (une voix si différente de celle qu'il avait imaginée), il put mesurer le temps qui s'était écoulé.

Il était le même qu'autrefois, croyait-il, peut-être un peu plus large d'épaules et hâlé par le soleil du fort. Elle non plus n'avait pas changé. Mais quelque chose s'était glissé entre eux.

Ils entrèrent dans le grand salon, car dehors il y avait trop de soleil ; la pièce était plongée dans une douce pénombre, un rais de lumière jouait sur le tapis et une horloge faisait entendre son tic tac.

Ils s'assirent sur un divan, de biais, pour pouvoir se regarder. Drogo la regardait fixement dans les yeux, incapable de trouver les mots qu'il fallait ; quant à Maria, elle portait vivement ses regards autour d'elle, un peu sur lui, un peu sur les meubles, un peu sur un bracelet de turquoises qu'elle avait et qui paraissait tout nouveau.

— Francesco ne va pas tarder, dit gaiement Maria. En attendant, tu vas rester un peu avec moi, tu dois en avoir des choses à me raconter !

— Oh ! fit Drogo, rien d'extraordinaire vraiment, c'est toujours la...

— Mais pourquoi me regardes-tu ainsi ? demanda-t-elle. Tu me trouves tellement changée ?

Non, Drogo ne la trouvait pas changée, il était même surprenant qu'en quatre ans une jeune fille ne se fût pas transformée, du moins visiblement. Pourtant, il éprouvait une vague impression de déception et de froid. Il ne parvenait plus à retrouver le ton d'autrefois, lorsqu'ils se parlaient comme un frère et une sœur et qu'ils pouvaient plaisanter à propos de tout sans se heurter. Pourquoi se tenait-elle avec tant de réserve sur le sofa et pourquoi parlait-elle avec si peu d'abandon ? Il aurait dû la tirer par le bras, lui dire : « Mais est-ce que tu es folle ? Qu'est-ce qu'il te prend de jouer ainsi les grandes personnes ? » Le glacial enchantement eût été rompu.

Mais Drogo ne s'en sentait pas capable. Il avait devant lui un être différent et nouveau, dont les pensées lui étaient inconnues. Lui-même, peut-être, n'était plus celui de jadis, et peut-être avait-il été le premier à prendre un ton faux.

— Changée ? répondit Drogo. Non, non, absolument pas.

— Oh ! tu me dis ça parce que tu me trouves enlaidie. Dis-moi la vérité !

Était-ce vraiment Maria qui parlait ? N'était-elle pas en train de plaisanter ? Giovanni écoutait presque avec incrédulité les paroles de la jeune fille et s'attendait à chaque instant à abandonner son élégant sourire, son attitude polie et à partir d'un grand éclat de rire. « Laide », oui, je te trouve laide, eût répondu Giovanni au bon vieux temps, en lui passant un bras autour de la taille, et elle se fût serrée contre lui. Mais à présent ? Cela eût été absurde, une plaisanterie de mauvais goût.

— Mais non, te dis-je, répondit Drogo. Tu es la même, je te l'assure.

Elle le regarda avec un sourire pas très convaincu et changea de sujet.

— Et maintenant, dis-moi, tu es revenu pour tout à fait ?

C'était une question qu'il avait prévue. (Cela dépend de toi, avait-il pensé répondre, ou quelque chose de ce genre.) Mais cette question, il l'avait attendue plus tôt, au moment de leur rencontre, comme cela eût été naturel si elle y avait vraiment attaché de l'importance. Au lieu de cela, la question lui était posée maintenant, presque à l'improviste, et c'était tout autre chose, presque une question posée par politesse, sans sous-entendus sentimentaux.

Il y eut un instant de silence dans le salon empli d'ombre, on entendait seulement, venu du jardin, le chant des oiseaux, et, d'une chambre lointaine, les accords lents et mécaniques de quelqu'un qui étudiait le piano.

— Je ne sais pas. Je ne sais pas encore. Je suis seulement en permission, dit Drogo.

— Tu es seulement en permission ? fit tout de suite Maria.

Il y eut dans sa voix une légère vibration qui pouvait être l'effet du hasard, ou d'une déception, ou encore d'un chagrin véritable. Mais quelque chose s'était vraiment glissé entre eux, un voile indéfinissable et vague, qui refusait de se dissiper ; peut-être ce voile avait-il grandi lentement, durant la longue séparation, jour après jour, les éloignant l'un de l'autre à leur insu à tous deux.

— Deux mois. Ensuite, il faudra peut-être que je reparte, peut-être aussi serai-je nommé autre part, peut-être même ici, en ville, expliqua Drogo.

Maintenant, la conversation lui devenait pénible, une sorte d'indifférence s'était emparée de son âme.

Ils se turent tous les deux. L'après-midi pesait sur la ville, les oiseaux avaient cessé de chanter, on entendait seulement les lointains arpèges du piano, tristes et méthodiques, qui montaient, montaient, emplissant toute la maison, et il y avait dans ce son une sorte d'effort obstiné, comme quelque chose de difficile à dire et que l'on n'arrive jamais à dire.

— C'est la fille des Micheli qui joue du piano à l'étage au-dessus, dit Maria, s'apercevant que Giovanni écoutait.

— Il me semble que, toi aussi, tu jouais cet air, autrefois, non ?

Maria inclina gracieusement la tête comme pour écouter.

— Non, non, cet air-là est trop difficile, tu as dû l'entendre ailleurs.

— Je croyais... dit Drogo.

La pianiste jouait toujours aussi laborieusement. Giovanni regardait le rais de soleil sur le tapis, il pensait au fort, il imagina la neige qui fondait, le bruit de l'eau dégouttant sur les terrasses, le pauvre printemps montagnard qui ne connaît que de petites fleurs dans les prés et le parfum des fenaisons transporté par le vent.

— Mais, à présent, n'est-ce pas, tu vas te faire muter ? reprit la jeune fille. Tu en as bien le droit au bout d'un si long temps. Ça doit être joliment ennuyeux là-haut !

Elle prononça ces derniers mots avec une légère irritation, comme si le fort lui était odieux.

« Un peu ennuyeux sans aucun doute, je préfère certes rester ici avec toi. » Cette pauvre phrase traversa l'esprit de Drogo comme une courageuse possibilité. Elle était banale, néanmoins elle suffisait peut-être. Mais brusquement tout désir disparut. Giovanni pensa même avec dégoût combien ces paroles, prononcées par lui, seraient ridicules.

— Eh oui, dit-il alors. Mais les journées passent si vite !

On entendait le son du piano, mais pourquoi ces arpèges continuaient-ils de monter sans jamais finir ? D'une nudité scolaire, ils répétaient avec un détachement résigné une vieille histoire jadis chère. Ils parlaient d'un soir de brouillard parmi les lumières de la ville et d'eux deux qui s'en allaient sous les arbres dépouillés, dans l'avenue déserte, brusquement heureux, se tenant par la main comme des enfants, sans comprendre pourquoi. Ce soir-là aussi, il s'en souvenait, il y avait des pianos qui jouaient dans les maisons, les notes s'échappaient par les fenêtres éclairées ; et bien que ce fussent probablement d'ennuyeux exercices, Giovanni et Maria n'avaient jamais entendu musique plus douce et plus humaine.

— Bien sûr, ajouta Drogo sur un ton de plaisanterie, là-haut, il n'y a pas beaucoup de distractions, mais on finit par s'y habituer...

La conversation dans ce salon, où il régnait une odeur de fleurs, semblait acquérir lentement une poétique douceur, favorable aux aveux amoureux. « Qui sait, pensait Drogo, cette première rencontre, après une aussi longue séparation, ne pouvait peut-être pas être différente, peut-être pourrons-nous nous retrouver, j'ai deux mois devant moi, on ne peut pas juger comme ça d'un coup, il se peut qu'elle m'aime encore et que je ne retourne plus au fort. » Mais la jeune fille parla.

— Quel dommage ! dit-elle. Je pars dans trois jours avec maman et Giorgina, nous resterons absentes quelques mois, je crois (à cette idée, elle s'animait joyeusement). Nous allons en Hollande.

— En Hollande ?

Maintenant, la jeune fille parlait du voyage,

enthousiasmée, des amis avec qui elle allait partir, de ses chevaux, des fêtes qu'il y aurait pendant le carnaval, de sa vie, de camarades que ne connaissaient pas Drogo. Maintenant, elle était tout à fait à son aise et semblait plus belle.

— C'est une idée magnifique, fit Drogo, qui se sentait la gorge serrée par un nœud d'amertume. J'ai entendu dire que c'est la meilleure saison en Hollande. Il paraît qu'il y a des plaines entièrement couvertes de tulipes.

— Oh ! oui, approuvait Maria, ça doit être splendide !

— Au lieu de blé, ils cultivent des roses, continuait Giovanni avec un léger tremblement dans la voix, des millions et des millions de roses, à perte de vue, et au-dessus d'elles, on aperçoit les moulins à vent, entièrement repeints à neuf avec des couleurs vives.

— Repeints à neuf ? demanda Maria, qui commençait à comprendre qu'il plaisantait. Qu'est-ce que tu racontes ?

— C'est ce qu'on dit, répondit Giovanni. J'ai lu cela dans un livre.

Le rais de soleil, après avoir parcouru tout le tapis, montait maintenant progressivement le long des marqueteries d'un secrétaire. L'après-midi se mourait déjà, la voix du piano était devenue faible, au dehors, dans le jardin, un petit oiseau solitaire reprenait sa chanson. Drogo regardait fixement les chenets de la cheminée, exactement semblables à une paire qu'il avait vue au fort ; cette coïncidence lui offrait une faible consolation, comme si cela démontrait que, après tout, le fort et la ville étaient un seul et même monde dont les habitudes de vie étaient identiques. Pourtant, les chenets mis à part, Drogo n'avait rien pu découvrir d'autre qui leur fût commun.

— Oui, ce doit être beau, dit Maria en baissant les yeux. Mais, maintenant que nous sommes sur le point de partir, je n'en ai plus envie.

— Bêtises, c'est ce qui arrive toujours au dernier moment, c'est si ennuyeux de faire ses bagages, dit exprès Drogo, comme s'il n'avait pas saisi l'allusion sentimentale.

— Oh ! ce n'est pas à cause des bagages, ce n'est pas pour cela...

Il eût suffi d'un mot, d'une simple phrase pour lui dire que son départ lui faisait de la peine. Mais Drogo ne voulait rien demander, à ce moment-là, il n'en était vraiment pas capable, il aurait eu l'impression de mentir. En conséquence, il garda le silence, souriant vaguement.

— Si nous allions un peu dans le jardin ? proposa finalement la jeune fille, ne sachant plus quoi dire. Le soleil doit être moins fort.

Ils se levèrent du divan. Elle se taisait, comme attendant que Drogo lui parlât, et elle le regardait peut-être avec un restant d'amour. Mais les pensées de Giovanni, à la vue du jardin, s'envolèrent vers les maigres prairies qui entouraient le fort : là-haut aussi, la belle saison était proche, de courageuses petites plantes pointaient entre les cailloux. C'était peut-être à ce moment-ci, des centaines d'années auparavant, que les Tartares étaient arrivés.

— Il fait déjà joliment chaud pour avril, dit Drogo. Tu vas voir qu'il va recommencer à pleuvoir.

Ce fut là ce qu'il dit et Maria eut un petit sourire désolé.

— Oui, il fait trop chaud, répondit-elle d'une voix blanche, et ils s'aperçurent tous les deux que tout était fini. Maintenant, ils étaient de nouveau loin l'un de l'autre, un vide s'ouvrait entre eux, en vain tendaient-ils la main pour se toucher : à chaque instant, la distance augmentait.

Drogo savait qu'il aimait encore Maria et qu'il aimait aussi le monde où elle vivait : mais toutes les choses qui alimentaient sa vie d'autrefois étaient devenues lointaines, un monde étranger où sa place avait été aisément occupée. Et ce monde, il le considérait désormais du dehors, encore qu'avec regret ; y rentrer l'eût mis mal à l'aise. Des visages nouveaux, des habitudes différentes, des plaisanteries nouvelles, de nouvelles façons de parler auxquelles il n'était pas habitué : ce n'était plus là sa vie, il avait pris une autre route, revenir en arrière serait stupide et vain.

Comme Francesco n'arrivait pas, Drogo et Maria se séparèrent avec une cordialité exagérée, chacun étouffant en soi ses pensées secrètes. Maria lui serra la main avec force, le regardant dans les yeux, une invite peut-être à ne pas partir comme ça, à lui pardonner, à tenter de nouveau ce qui était désormais perdu ?

Lui aussi la regarda fixement et dit :

— Adieu, j'espère que nous nous reverrons avant ton départ.

Puis sans se retourner, il se dirigea vers le portail, marchant d'un pas martial, faisant crisser dans le silence les graviers de l'allée.

XX

L'usage voulait qu'après quatre ans au Fort on eût droit à une nouvelle affectation, mais Drogo, pour éviter une garnison éloignée et rester dans sa propre ville, sollicita quand même un entretien de caractère privé avec le général commandant la division à laquelle appartenait son régiment. En réalité, ce fut la mère de Giovanni qui insista pour qu'il demandât cette entrevue ; elle disait qu'il fallait se montrer pour ne pas être oublié, que personne, bien sûr, ne s'occuperait spontanément de lui, Giovanni, s'il ne se remuait pas ; et qu'on le relèguerait probablement dans une autre garnison de frontière tout aussi sinistre. Ce fut même sa mère qui, par l'entremise d'amis, fit les démarches nécessaires pour que le général fût dans des dispositions bienveillantes quand il recevrait Giovanni.

Le général était dans un immense bureau, assis derrière une grande table, il fumait un cigare ; et c'était un jour quelconque, peut-être pleuvait-il, peut-être seulement le ciel était-il couvert. Le général était assez vieux et, à travers son monocle, il considéra avec bienveillance le lieutenant Drogo.

— Je désirais vous voir, dit-il pour commencer, comme si lui-même eût souhaité cette entrevue. Je désirais savoir comment vont les choses là-haut. Filimore se porte toujours bien ?

— Mon général, répondit Drogo, lorsque je l'ai quitté, le colonel Filimore se portait très bien.

Le général garda le silence pendant un instant. Puis il secoua paternellement la tête.

— Ah ! dit-il, vous nous en avez causé des ennuis, vous autres du fort ! Oui... oui... cette affaire de frontières. L'histoire de ce lieutenant, pour le moment je ne me rappelle pas son nom, a vraiment beaucoup déplu à Son Altesse.

Drogo se taisait, ne sachant que dire.

— Oui, ce lieutenant... continuait le général parlant tout seul. Comment s'appelle-t-il ? Un nom comme Arduino, me semble-t-il.

— Il s'appelait Angustina, mon général.

— Ah ! oui, Angustina, un sacré cabochard ! Par un entêtement stupide, compromettre le tracé de la frontière... Je ne sais vraiment pas comment on a... Enfin, n'en parlons plus ! conclut-il brusquement, pour montrer sa grandeur d'âme.

— Mais, excusez-moi, mon général, osa remarquer Drogo. Angustina, c'est celui qui est mort !

— C'est possible, en effet, ça se peut très bien, c'est vous qui devez avoir raison, mes souvenirs ne sont plus très précis, fit le général, comme s'il s'agissait d'un détail sans aucune importance. Mais cette affaire a profondément déplu à Son Altesse, profondément.

Il se tut et leva un regard interrogateur sur Drogo.

— Vous êtes ici, dit-il d'un ton diplomatique plein de sous-entendus, vous êtes ici, n'est-ce pas, pour vous faire affecter en ville ? Tous autant que vous êtes, vous ne pensez qu'à la ville, et vous ne comprenez pas que c'est dans les garnisons éloignées que l'on apprend son métier de soldat.

— Oui, mon général, fit Drogo, tâchant de contrôler ses paroles et le ton de sa voix. En fait, j'ai déjà passé quatre ans...

— Quatre ans à votre âge ? Qu'est-ce que c'est

que quatre ans ?... répliqua le général en riant. De toute façon, je ne vous fais pas de reproches... je disais que, en tant que tendance générale, ce n'est peut-être pas le meilleur moyen de maintenir l'esprit des cadres...

Il s'interrompit comme s'il avait perdu le fil. Il réfléchit un court instant.

— Quoi qu'il en soit, reprit-il, mon cher lieutenant, nous allons essayer de vous satisfaire. A présent, nous allons demander votre dossier.

Pendant qu'il attendait les pièces, le général reprit :

— Le fort... dit-il. Le fort Bastiani, voyons un peu... savez-vous, lieutenant, quel est le point faible du fort Bastiani ?

— Je ne saurais vous le dire, mon général, fit Drogo. Peut-être est-il un peu trop isolé.

Le général eut un bienveillant sourire de commisération.

— Quelles idées bizarres vous vous faites, vous autres jeunes gens, dit-il. Un peu trop isolé ! J'avoue que je n'aurais jamais songé à cela. Le point faible du fort, voulez-vous que je vous le dise ? c'est qu'il y a trop de monde, trop de monde !

— Trop de monde ?

— C'est justement à cause de ça, continua le général sans prendre garde à l'interruption du lieutenant, c'est justement à cause de ça que l'on a décidé de modifier le règlement. A propos, qu'en dit-on au fort ?

— De quoi donc, mon général ? Excusez-moi.

— Mais de ce dont nous parlons ! Du nouveau règlement ! répéta le général agacé.

— Je n'ai jamais entendu dire, répondit Drogo interdit, vraiment, je n'ai jamais...

— Oui, peut-être n'y a-t-il pas encore eu de communication officielle, admit le général d'un ton radouci, mais je pensais que vous le saviez tout de même : en général, les militaires sont passés maîtres dans l'art de connaître les nouvelles avant qui que ce soit.

— Un nouveau règlement, mon général ? demanda Drogo intéressé.

— Une réduction des effectifs, la garnison presque diminuée de moitié, fit l'autre avec brusquerie. Trop de monde, j'ai toujours dit qu'il fallait alléger les effectifs de ce fort !

A ce moment, l'adjudant-major entra, porteur d'un gros paquet de dossiers. Après les avoir étalés sur une table, il en choisit un, celui de Giovanni Drogo, le remit au général qui le parcourut d'un œil compétent.

— Tout est en ordre, dit-il. Mais il me semble qu'il manque la demande de mutation.

— La demande de mutation ? s'enquit Drogo. Je croyais qu'il n'y en avait pas besoin, après quatre ans passés au fort.

— D'ordinaire, il n'en faut pas, fit le général manifestement agacé d'être obligé de donner des explications à un subalterne. Mais, étant donné que, cette fois-ci, il y a une aussi forte réduction d'effectifs et que tout le monde veut s'en aller, il faut tenir compte de l'ordre de priorité.

— Mais, mon général, personne ne le sait au fort, personne n'a encore fait de demande...

Le général se tourna vers l'adjudant-major.

— Capitaine, lui demanda-t-il, y a-t-il déjà des demandes de mutation du fort Bastiani ?

— Une vingtaine, je crois, mon général, répondit le capitaine.

Quelle sinistre plaisanterie, pensa Drogo, anéanti. Ses camarades lui avaient évidemment tenu la chose secrète pour pouvoir passer avant lui. Ortiz lui-même l'avait-il aussi bassement trompé ?

— Excusez-moi, mon général, si j'insiste, osa dire Drogo, qui comprenait combien ce que son interlocuteur allait lui répondre serait décisif. Mais il me semble que le fait d'avoir servi au fort pendant quatre années consécutives devrait avoir plus d'importance qu'une simple question de priorité.

— Vos quatre années ne sont rien, mon cher lieutenant, répliqua le général d'un ton froid, presque offensé, rien en comparaison de la vie entière que tant d'autres ont passée là-haut. Je puis examiner votre cas avec la plus grande bienveillance, je peux favoriser une demande justifiée de votre part, mais je ne puis aller à l'encontre de la justice. Il faut aussi examiner vos notes...

Giovanni Drogo avait pâli.

— Mais alors, mon général, demanda-t-il en balbutiant presque, alors, je risque de rester là-haut toute ma vie.

— ... Examiner vos notes, continua l'autre imperturbable, feuilletant toujours le dossier de Drogo. Et je vois ici, par exemple — cela me tombe justement sous les yeux — un « rappel à l'ordre ». Le « rappel à l'ordre » n'est pas une chose grave... (et pendant ce temps, il continuait de parcourir le dossier), mais je vois là une affaire assez regrettable, une sentinelle tuée par erreur...

— Mais, mon général, je n'y suis pour...

— Je ne puis écouter vos explications, vous le comprenez très bien, mon cher lieutenant, dit le général qui l'interrompit. Je me contente de lire ce que mentionne votre dossier et je veux bien admettre qu'il ne s'agit que d'un malencontreux accident... Mais il y a de vos collègues qui ont su éviter ces accidents... Je suis disposé à faire mon possible, j'ai consenti à vous recevoir personnellement, vous le voyez, mais maintenant... Ah ! si vous aviez fait votre demande il y a un mois !... Il est curieux que vous n'ayez pas été informé... C'est un sérieux handicap, évidemment.

Le ton débonnaire du début avait disparu. Maintenant, le général parlait avec une légère nuance d'ennui et de moquerie, scandant ses mots d'un ton doctoral. Drogo comprit qu'il venait de jouer le rôle d'un imbécile, comprit que ses camarades s'étaient moqués de lui, que le général devait avoir eu une bien médiocre impression de lui et qu'il n'y avait plus rien à faire. L'injustice provoquait une vive douleur dans sa poitrine, du côté du cœur. « Je pourrais aussi m'en aller, pensa-t-il, donner ma démission : après tout je ne mourrai pas de faim et je suis encore jeune. »

De la main, le général lui fit un signe familier.

— Eh bien ! au revoir, lieutenant, et ne vous frappez pas.

Drogo se mit au garde-à-vous, claqua des talons, marcha à reculons vers la porte, et, arrivé sur le seuil, fit un ultime salut.

XXI

Le pas d'un cheval remonte la vallée solitaire et fait naître, dans le silence des gorges, de vastes échos ; au sommet des rochers, les broussailles sont immobiles, immobiles aussi les petites herbes jaunes, et les nuages eux-mêmes avancent dans le ciel avec une lenteur particulière. Le pas du cheval s'élève tout doucement le long de la route blanche, c'est Giovanni Drogo qui retourne au fort Bastiani.

Oui, c'est bien lui, maintenant qu'il est plus près, on le reconnaît bien, et, sur son visage, on ne lit nulle douleur particulière. Il ne s'est donc pas révolté, il n'a pas donné sa démission, il a avalé cette injustice sans broncher et il retourne à son poste habituel. Au fond de son âme, il y a même la timide satisfaction d'avoir évité de brusques changements dans sa vie, de pouvoir reprendre telles quelles ses vieilles habitudes. Il compte même, ce Drogo, sur une glorieuse revanche à longue échéance, il croit avoir encore devant lui un laps de temps infini, il renonce ainsi à la mesquine lutte pour la vie quotidienne. Le jour viendra, pense-t-il, où tous les comptes seront réglés avec générosité. Mais, en attendant, les autres arrivent, ils se disputent âprement le pas afin d'être les premiers, ils dépassent en courant Drogo, sans même se soucier de lui, ils le laissent derrière eux. Lui les regarde disparaître au loin, perplexe, assailli de doutes insolites : et si, en réalité, il s'était trompé ? S'il n'était qu'un homme quelconque à qui ne revient, de droit, qu'un médiocre destin ?

Giovanni Drogo montait au fort solitaire, comme en ce jour de septembre, comme en ce jour lointain. Avec cette seule différence que, sur l'autre versant du vallon, il n'y avait pas d'autre officier en train d'avancer, et que, au pont, là où se rejoignaient les deux routes, il n'y avait pas non plus de capitaine Ortiz venant à sa rencontre.

Cette fois-ci, Drogo cheminait seul et il en profitait pour méditer sur sa vie. Il retournait au fort pour y rester Dieu sait combien de temps encore, au moment précis où beaucoup de ses camarades en partaient pour toujours. Ses camarades avaient été plus malins que lui, pensait Drogo, mais cela n'excluait pas non plus qu'ils eussent plus de valeur que lui : c'était peut-être là l'explication.

Plus le temps s'écoulait et plus le fort devenait négligeable. Peut-être, dans les temps lointains, avait-il été une garnison d'importance, ou du moins le considérait-on comme tel. Maintenant que ses forces étaient réduites de moitié, ce n'était plus qu'une barrière de sécurité, stratégiquement exclue de tous les plans guerriers. On ne le maintenait que pour ne pas laisser dégarni ce coin de frontière. On n'admettait pas l'éventualité d'une menace venue de la plaine du nord, tout au plus une caravane de nomades pouvait-elle apparaître sur le col. Qu'allait être maintenant l'existence, là-haut ?

Tout en méditant sur ces choses, Drogo atteignit dans l'après-midi l'extrémité de l'ultime plateau et se trouva face à face avec le fort Bastiani. Le fort ne renfermait plus, comme la première fois, d'inquiétants secrets. Ce n'était en réalité qu'une caserne de frontière, une ridicule bâtisse dont les murs ne résisteraient que quelques heures à des canons de modèle récent. Avec le temps, on le laisserait tomber en ruines, déjà il y avait quelques merlons d'écroulés et un terre-plein en train de s'ébouler sans que personne songeât à le faire remettre en état.

Voilà ce que pensait Drogo, arrêté au bord du plateau, tout en regardant aller et venir sur les chemins de ronde les habituelles sentinelles. Sur le toit, le drapeau pendait flasque, pas une cheminée ne fumait, il n'y avait personne sur l'esplanade dénudée.

A présent, quelle vie ennuyeuse attendait Drogo ! Probablement le joyeux Morel s'en irait-il parmi les premiers, et, pratiquement, Drogo n'aurait plus un seul ami. Et puis toujours le même service de garde, les éternelles parties de cartes, les éternelles escapades jusqu'à la localité la plus proche pour y boire un peu ou avoir une piètre aventure amou reuse. Quelle misère, se disait Drogo. Et pourtant un reste d'enchantement errait le long des murailles des jaunes redoutes, un mystère persistait obstinément là-haut, dans les recoins des fossés, à l'ombre des casemates, l'inexprimable sentiment de choses à venir.

Au fort, il trouva de nombreux changements. Devant l'imminence de tant de départs, une grande animation régnait partout. On ne savait pas encore qui était destiné à partir et les officiers, qui avaient presque tous demandé leur mutation, vivaient dans une attente anxieuse, oubliant les soucis de naguère. Filimore, lui-même, on le savait de source sûre, devait quitter le fort et cela contribuait à bouleverser le rythme du service. L'agitation était même parvenue jusqu'aux soldats, une grande partie du régiment, non encore désignée, devant redescendre en plaine. Les tours de garde s'effectuaient à contre-cœur; souvent, à l'heure de la relève, les détachements n'étaient pas prêts, la conviction s'était établie chez tous que tant de précautions étaient grotesques et inutiles.

Il semblait évident que les espoirs de jadis, les illusions guerrières, l'attente de l'ennemi du Nord, n'avaient été qu'un prétexte pour donner un sens à la vie. Maintenant qu'il y avait la possibilité de retourner à la vie civile, ces histoires paraissaient des rêves d'enfants, personne ne voulait admettre y avoir cru, et l'on n'hésitait plus à en faire des gorges chaudes. Ce qui importait, c'était de s'en aller. Chacun des collègues de Drogo avait mis en branle des amitiés influentes pour obtenir la préférence, et chacun, au fond de son cœur, était sûr de réussir.

— Et toi ? demandaient à Giovanni, avec une vague sympathie, les camarades qui lui avaient caché la grande nouvelle pour passer avant lui et avoir un concurrent de moins. Et toi ? lui demandaient-ils.

— Moi, répondait Drogo, il va probablement falloir que je reste ici quelques mois encore.

Et les autres se hâtaient de le réconforter : lui aussi, bien sûr, allait être muté, ce n'était que justice, il ne fallait pas être aussi pessimiste, et ainsi de suite.

Seul entre tous, Ortiz ne semblait pas changé. Ortiz n'avait pas demandé à s'en aller, depuis de nombreuses années la chose ne l'intéressait plus, la nouvelle de la prochaine réduction de la garnison lui était parvenue en dernier, et c'est pour cela qu'il n'avait pas eu le temps d'avertir Drogo. Ortiz assistait, indifférent, à cette fermentation nouvelle et s'occupait avec son zèle habituel des affaires du fort.

Et, finalement, les départs commencèrent effectivement. Dans la cour du fort, ce fut un continuel va-et-vient de chariots qui chargeaient du matériel de casernement et, chacune à son tour, les compagnies s'alignaient pour prendre congé. Chaque fois, le colonel descendait de son bureau pour les passer en revue, adressait aux soldats quelques mots d'adieu, d'une voix morne et éteinte.

De ces officiers qui avaient vécu là-haut pendant de longues années, qui, pendant des centaines de jours, avaient sans cesse scruté, des glacis des redoutes, les solitudes du nord, qui avaient coutume de se lancer dans d'interminables discussions sur le plus ou moins de probabilités d'une brusque attaque ennemie, beaucoup s'en allaient avec un visage radieux ; faisant des clins d'œil insolents aux camarades qui restaient, ils s'éloignaient vers la vallée, se tenant droit en selle, avec arrogance, à la tête de leurs détachements, et ils ne tournaient même pas la tête pour regarder une dernière fois leur fort.

Seul Morel, quand, au centre de la cour, par une matinée ensoleillée, il présenta au colonel commandant le régiment sa section sur le point de partir, et que, saluant, il abaissa son sabre, seul, donc, Morel eut les yeux brillants, et sa voix, quand il cria les commandements, eut un tremblement. Drogo, le dos appuyé à un mur, observait la scène et il sourit amicalement quand son camarade passa à cheval devant lui, se dirigeant vers la sortie. C'était peut-être la dernière fois qu'ils se voyaient, Giovanni porta la main droite à la visière de son képi, faisant le salut réglementaire.

Puis il regagna les couloirs du fort, froids même en été, et qui, de jour en jour, se faisaient plus déserts. A l'idée que Morel était parti, la blessure que lui avait faite l'injustice dont il avait été victime s'était rouverte brusquement et lui faisait mal. Giovanni alla à la recherche d'Ortiz et le trouva qui sortait de son bureau, un paquet de dossiers sous le bras. Il le rejoignit, l'accosta :

— Bonjour, mon commandant.

— Bonjour, Drogo, répondit Ortiz en s'arrêtant. Qu'y a-t-il de neuf ? Puis-je quelque chose pour vous ?

Drogo avait en fait quelque chose à lui demander. C'était une question d'ordre général, sans la moindre urgence, et pourtant elle le tracassait depuis quelques jours.

— Excusez-moi, mon commandant, dit-il. Vous vous rappelez que, lorsque je suis arrivé au fort, il y a quatre ans et demi, le commandant Matti m'a dit que seuls les volontaires restaient ici ? Que si quelqu'un voulait s'en aller, il était entièrement libre de le faire ? Vous vous rappelez que je vous ai raconté cela ? A en croire Matti, il suffisait que je demande une visite médicale, uniquement pour avoir un prétexte administrativement, il disait seulement que cela déplairait un peu au colonel.

— Oui, je me rappelle vaguement, fit Ortiz avec une imperceptible nuance d'ennui. Mais, excusez-moi, mon cher Drogo, je dois maintenant...

— Un instant seulement, mon commandant... Vous rappelez-vous que, pour ne pas faire quelque chose qui déplût au colonel, j'ai consenti à rester quatre mois ici ? Mais, si j'avais voulu, j'aurais pu m'en aller, n'est-ce pas ?

— Je comprends, mon cher Drogo, dit Ortiz, mais vous n'êtes pas le seul...

— Alors, l'interrompit Giovanni avec agitation,

alors, tout cela n'était que du bourrage de crâne ? Alors, il n'est pas vrai que, si je l'avais voulu, j'aurais pu m'en aller ? Ce n'était que du boniment pour me faire tenir tranquille ?

— Oh ! fit le commandant. Je ne le crois pas... N'allez pas vous imaginer cela !

— Ne me dites pas le contraire, mon commandant, répliqua Giovanni. Prétendriez-vous que Matti disait la vérité ?

— Il m'est arrivé la même chose, ou à peu près, à moi aussi, dit Ortiz en regardant le sol avec embarras. Moi aussi, alors, je pensais à une brillante carrière...

Ils étaient debout dans l'un des grands corridors et leurs voix résonnaient tristement entre les murs, car l'endroit était nu et inhabité.

— Alors, il n'est pas vrai que tous les officiers soient venus ici après en avoir fait la demande ? Ils ont tous été obligés de rester, comme moi, c'est bien ça, n'est-ce pas ?

Ortiz se taisait, il jouait à introduire l'extrémité du fourreau de son sabre dans une fente du carrelage.

— Et ceux qui prétendaient rester là de leur propre volonté, du boniment aussi ? insistait Drogo. Et pourquoi personne n'a-t-il jamais eu le courage de dire la vérité ?

— Ce n'est peut-être pas exactement comme vous le dites, répondit Ortiz. Il y en a vraiment eu quelques-uns qui ont préféré rester, peu nombreux, j'en conviens, mais il y en a eu quelques-uns...

— Qui ça ? Dites-le-moi un peu ! fit vivement Drogo ; puis il s'arrêta brusquement. Oh ! excusez-moi, mon commandant, ajouta-t-il, bien entendu, je ne pensais pas à vous, vous savez comme on se laisse emporter quand on parle ?

Ortiz sourit :

— Oh ! vous savez, je ne disais pas cela pour moi. Moi aussi, probablement, je suis resté ici d'office !

Les deux hommes se mirent à marcher côte à côte, passant devant les petites fenêtres oblongues fermées par des barreaux : de là, on apercevait l'esplanade dénudée, derrière le fort, les montagnes du sud, les lourdes vapeurs de la vallée.

— Et alors, reprit Drogo après un silence. Alors, tous ces enthousiasmes, ces histoires de Tartares ? Alors, ils n'y croyaient pas vraiment ?

— Mais si, ils y croyaient ! dit Ortiz. Ils y croyaient, je vous le garantis.

Drogo secoua la tête :

— Je ne m'y retrouve plus, parole...

— Que voulez-vous que je vous dise ? fit le commandant. Ce sont des histoires un peu compliquées... Ici, c'est un peu comme un exil, il faut bien trouver une sorte de dérivatif, il faut bien espérer quelque chose. Quelqu'un a commencé à se monter la tête, on s'est mis à parler des Tartares, Dieu sait qui a été le premier à en parler...

— Peut-être aussi à cause de l'endroit, dit Drogo, à force de voir ce désert...

— Bien sûr, l'endroit aussi... Ce désert, ces brumes dans le lointain, ces montagnes, on ne peut nier... L'endroit y est aussi pour quelque chose, effectivement.

Il se tut un instant, songeur, puis il reprit, comme se parlant à lui-même :

— Les Tartares... les Tartares... Au début,

cela semble une idiotie, naturellement, puis on finit par y croire quand même, du moins, ça s'est passé comme ça pour beaucoup, en effet.

— Mais vous, mon commandant, pardonnez-moi, mais vous, vous...

— Moi, c'est différent, dit Ortiz. Je suis d'une autre génération. Je n'ai plus d'ambition, un poste tranquille me suffit. Tandis que vous, lieutenant, vous avez toute la vie devant vous. Dans un an, un an et demi au maximum, vous serez muté...

— Tenez, voilà Morel là-bas, quel veinard ! s'écria Drogo en s'arrêtant devant une petite fenêtre.

On voyait en effet le détachement qui s'éloignait à travers l'esplanade. Sur le sol dénudé et calciné, dans le soleil, les soldats se détachaient nettement. Bien que chargés de leurs lourds bardas, ils marchaient avec entrain.

XXII

La dernière compagnie qui devait partir était rangée dans la cour, tout le monde pensait que, le jour suivant, la nouvelle vie, avec une garnison réduite, allait s'organiser définitivement, et une certaine impatience d'en finir avec ces éternelles histoires d'adieux se joignait à la rage de voir s'en aller les autres. La compagnie était déjà alignée et l'on attendait que le lieutenant-colonel

Nicolosi vînt la passer en revue, quand Giovanni Drogo, qui assistait à la cérémonie, vit apparaître le lieutenant Simeoni, une expression bizarre sur le visage.

Il y avait trois ans que le lieutenant Simeoni était au fort et il semblait être un brave garçon, un peu pédant, respectueux de l'autorité et grand amateur d'exercices violents. Il s'était avancé dans la cour et regardait autour de lui presque avec anxiété, en quête de quelqu'un à qui dire quelque chose. N'importe qui probablement ferait son affaire, car il n'était lié d'amitié avec personne.

Voyant que Drogo l'observait, il s'approcha de lui :

— Viens voir, lui dit-il à voix basse. Vite, viens voir.

— Quoi donc ? demanda Drogo.

— Je suis de garde à la troisième redoute, je me suis échappé un instant, viens dès que tu le pourras. Il y a quelque chose que je ne comprends pas.

Et il haletait un peu, comme s'il venait de courir.

— Où ça ? Qu'as-tu vu ? demanda Drogo intrigué.

— Attends un instant, dit Simeoni, attends que la compagnie soit partie.

Au même moment, trois sonneries de trompette retentirent et les soldats se mirent au garde-à-vous, car le commandant du fort dégradé venait d'arriver.

— Attends qu'ils soient partis, dit encore Simeoni, car Drogo s'impatientait de ce mystère apparemment sans raison. Je veux au moins les voir sortir. Il y a cinq jours que je voulais te dire ça, mais il faut auparavant que tout le monde soit parti.

Finalement, après la brève allocution de Nicolosi et les ultimes fanfares, la compagnie équipée pour une longue marche sortit à pas pesants du fort, se dirigeant vers la vallée. C'était une journée de septembre, le ciel était gris et morne.

Simeoni entraîna alors Drogo par les longs corridors solitaires jusqu'à l'entrée de la troisième redoute. Ils traversèrent le corps de garde et montèrent sur le chemin de ronde.

Le lieutenant Simeoni tira une longue-vue de son étui et pria Drogo de regarder dans la direction de ce petit triangle de plateau que les montagnes qui étaient devant eux laissaient libre.

— Qu'est-ce qu'il y a ? demanda Drogo.

— Regarde d'abord, je ne voudrais pas me tromper. Regarde d'abord et dis-moi si tu vois quelque chose.

Les coudes appuyés au parapet, Drogo regarda attentivement le désert et, à travers la longue-vue qui était la propriété personnelle de Simeoni, il distinguait très nettement les rochers, les dépressions de terrain, les rares taches de verdure, bien que tout cela fût extraordinairement lointain.

Drogo explora, fragment par fragment, le triangle visible de désert et il était sur le point de dire qu'il ne distinguait rien de particulier quand, juste au fond, là où chaque image disparaissait dans l'éternel rideau de brumes, il lui sembla apercevoir une petite tache noire qui bougeait.

Il avait toujours les coudes appuyés au parapet et regardait dans la longue-vue quand son cœur se mit à battre avec force. Comme il y a deux ans, pensa-t-il, quand on croyait que les ennemis venaient d'arriver.

— C'est de cette petite tache noire que tu veux parler ? demanda Drogo.

— Il y a cinq jours que je l'ai vue, mais je ne voulais le dire à personne.

— Pourquoi ? fit Drogo. De quoi avais-tu peur ?

— Si j'avais parlé, peut-être eût-on suspendu les départs. Et de la sorte, Morel, après s'être foutu de nous, Morel et les autres seraient restés pour profiter de l'occasion. Mieux vaut être peu nombreux.

— Quelle occasion ? Que penses-tu que ce soit ? Ça va être comme la dernière fois, ce doit être une patrouille de reconnaissance, ou peut-être sont-ce des bergers, ou tout simplement un animal.

— Voilà cinq jours que j'observe cette tache, dit Simeoni. Si c'étaient des bergers, ils seraient partis, et de même si c'étaient des animaux. Il y a quelque chose qui bouge, mais qui reste toujours, à peu de chose près, à la même place.

— Et alors, quel genre d'« occasion » veux-tu que ce soit ?

Simeoni regarda Drogo en souriant, comme se demandant s'il pouvait lui révéler ce secret. Puis :

— Je crois, dit-il, qu'ils sont en train de faire une route, de faire une route militaire. Cette fois-ci, c'est la bonne. Il y a deux ans, ils sont venus étudier le terrain, maintenant, ils arrivent pour de bon.

Drogo se mit à rire de bon cœur.

— Mais pourquoi veux-tu qu'ils fassent une route ? Si tu crois qu'il va encore venir quelqu'un ! La dernière fois ne t'a pas suffi ?

— Tu es peut-être un peu myope, dit Simeoni. Tu n'as peut-être pas une bonne vue, moi j'arrive à distinguer parfaitement ce qu'ils font, ils ont commencé de faire le cailloutis. Hier, il y avait du soleil et la visibilité était excellente.

Drogo secoua la tête, étonné par tant d'obstination. Simeoni ne s'était-il donc pas encore lassé d'attendre ? Et il avait peur de révéler sa découverte comme si c'eût été un trésor ? Il avait donc peur qu'on la lui dérobât ?

— Jadis, dit Drogo, jadis j'y aurais cru, moi aussi. Mais maintenant, tu me fais vraiment l'effet d'un illuminé. Moi, si j'étais à ta place, je me tairais, on finira pas se moquer de toi.

— Ils font une route, répliqua Simeoni en regardant Drogo avec compassion. Ça va leur prendre des mois, bien entendu, mais cette fois-ci est la bonne.

— Mais même s'il en était ainsi, objecta Drogo, même s'il en était comme tu dis, crois-tu que s'ils étaient vraiment en train de faire une route pour amener leur artillerie du nord, crois-tu qu'on laisserait le fort dégarni ? On le saurait tout de suite à l'état-major, on le saurait même depuis des années.

— L'état-major ne prend jamais le fort Bastiani au sérieux; tant qu'il n'aura pas été bombardé, personne ne croira à ces histoires... Ils s'en convaincront trop tard.

— Tu peux dire ce que tu voudras, répéta Drogo. Si cette route était réellement en train de se faire, l'état-major en serait plus qu'informé, tu peux en être sûr.

— L'état-major reçoit mille informations, mais

il n'y en a qu'une de bonne sur mille, et de la sorte, on ne croit à aucune. Du reste, il est inutile de discuter, tu verras si ça ne se passera pas comme je dis.

Ils étaient seuls sur le chemin de ronde. Les factionnaires, beaucoup plus espacés qu'autrefois passé, marchaient de long en large sur le parcours qui leur était fixé à chacun. Drogo regarda encore vers le septentrion ; les roches, le désert, les brumes lointaines, tout cela lui paraissait vide de sens.

Plus tard, en parlant avec Ortiz, Drogo apprit que le fameux secret du lieutenant Simeoni était pratiquement connu de tous. Mais personne n'y avait attaché d'importance. Plusieurs même s'étonnaient qu'un jeune homme aussi sérieux que Simeoni eût fait circuler ces nouveaux bobards.

Ces jours-là, on avait bien d'autres chats à fouetter. La réduction des effectifs obligeait à éparpiller les forces disponibles le long des remparts, et l'on continuait à faire différents essais afin d'obtenir, avec des moyens restreints, un service de garde presque aussi efficace que précédemment. On dut abandonner quelques postes, en équiper d'autres avec davantage de matériel, il fallut reformer les compagnies et les distribuer en nouvelles chambrées.

Pour la première fois depuis la construction du fort, certains locaux furent fermés et verrouillés. Le maitre-tailleur Prosdocimo dut licencier trois de ses aides, car il n'avait plus assez de travail. Il arrivait parfois que l'on entrât dans des chambrées ou dans des bureaux complètement vides, sur les murs desquels il y avait les taches blanches des meubles et des tableaux qu'on avait emportés.

Le petit point noir qui bougeait aux extrêmes limites de la plaine continua d'être considéré comme une plaisanterie. Peu nombreux ceux qui se firent prêter la longue-vue par Simeoni afin de voir, eux aussi, et ces quelques officiers prétendirent n'avoir rien vu. Et, comme personne ne le prenait au sérieux, Simeoni lui-même évitait de parler de sa découverte et, par prudence, il en riait lui aussi, sans se formaliser.

Là-dessus, Simeoni vint un soir chercher Drogo dans sa chambre. La nuit était déjà tombée et la relève de la garde avait été effectuée. Le maigre détachement de la Nouvelle Redoute était rentré et le fort se disposait à veiller une nuit de plus, en vain.

— Viens voir, toi qui n'y crois pas, viens donc voir, disait Simeoni. Ou bien j'ai des hallucinations, ou bien je vois une lumière.

Ils allèrent voir. Ils montèrent au sommet des remparts, à la hauteur de la quatrième redoute. Dans l'obscurité, Simeoni donna la longue-vue à son camarade pour que celui-ci regardât.

— Mais il fait nuit noire ! dit Giovanni. Que veux-tu voir dans cette obscurité ?

— Regarde, te dis-je, insista Simeoni. Je te l'ai dit, je ne voudrais pas que ce fût une hallucination. Regarde dans la direction que je t'ai indiquée la dernière fois, et dis-moi si tu vois quelque chose.

Drogo porta la longue-vue à son œil droit, la pointa vers l'extrême nord, et entrevit, dans les ténèbres, une petite lumière, un point minuscule qui clignotait à la limite des brumes.

— Une lumière ! s'exclama Drogo. Je vois une

petite lueur... attends... (Et il continuait de régler les lentilles de la longue-vue.) On ne se rend pas compte s'il y en a plusieurs ou une seule, par moment, on dirait qu'il y en a deux.

— Tu vois ? dit Simeoni triomphant. Est-ce moi l'imbécile ?

— Qu'est-ce que ça signifie ? répliqua Drogo, point encore très convaincu. Qu'est-ce que cela veut dire qu'il y ait cette lumière ? Ça peut être un campement de bohémiens ou de bergers.

— C'est la lanterne du chantier, fit Simeoni. Le chantier de la nouvelle route, tu verras si je n'ai pas raison.

A l'œil nu, si bizarre que ce fût, on ne pouvait distinguer la lumière. Même les sentinelles (et pourtant il y en avait de fameuses, et qui étaient des chasseurs réputés) ne parvenaient à rien voir.

Drogo dirigea encore la longue-vue vers le point mystérieux, chercha la lointaine lumière, la contempla pendant quelques instants, puis il leva son instrument et, par curiosité, se mit à observer les étoiles. En nombre infini, elles emplissaient tous les coins du ciel, splendides à voir. A l'orient, pourtant, elles étaient plus rares, car la lune était sur le point de se lever, précédée par une vague clarté.

— Simeoni ! appela Drogo, ne trouvant plus son camarade à côté de lui.

Mais le lieutenant ne lui répondit pas ; il devait être descendu par un petit escalier, pour aller inspecter le chemin de ronde.

Drogo regarda autour de lui. Dans l'obscurité, on ne pouvait distinguer que le chemin de ronde désert, le profil des fortifications, l'ombre noire des montagnes. Une horloge sonna quelques coups.

A l'extrême droite, la sentinelle eût dû lancer maintenant son cri nocturne, de soldat en soldat, l'appel eût dû courir le long des murs : « Prenez garde à vous ! Prenez garde à vous ! » Puis l'appel eût fait le chemin inverse pour s'éteindre finalement au pied des grands rochers. Maintenant que les emplacements des sentinelles avaient été raréfiés, pensa Drogo, l'appel, par suite du nombre moins grand d'hommes qui le répétaient, aurait dû faire le tour complet beaucoup plus vite. Au lieu de cela, le silence continua.

Des pensées d'un monde désirable et lointain s'emparèrent alors brusquement de l'esprit de Drogo, l'image par exemple d'un palais au bord de la mer, par une douce nuit d'été, celle de gracieuses créatures ; assises près de lui, il entendit des musiques, des images de bonheur se présentèrent auxquelles la jeunesse permettait de s'abandonner impunément, et pendant ce temps, l'horizon marin, au levant, devenait net et précis, l'aube qui allait poindre commençant de faire pâlir le ciel. Et pouvoir passer de la sorte ses nuits, ne pas se réfugier dans le sommeil, ne pas avoir peur d'être en retard, laisser le soleil se lever, avoir devant soi un temps infini, et le goûter sans avoir à se tourmenter. Parmi tant de belles choses qu'il y avait au monde, Giovanni s'obstinait à désirer cet improbable palais marin, la musique, le gaspillage des heures, l'attente de l'aube. Si bête que cela pût paraître, c'était là ce qui lui semblait exprimer de la façon la plus intense cette paix qu'il avait perdue. Depuis quelque temps, en effet, une angoisse qu'il ne parvenait pas à définir le poursuivait sans trêve : l'impression qu'il n'arriverait pas à temps, l'impression que quelque chose d'important allait se produire et le prendrait à l'improviste.

Sa conversation avec le général, là-bas en ville, lui avait laissé peu d'espoir de mutation et de brillante carrière, mais Giovanni se rendait aussi compte qu'il ne pouvait rester toute sa vie entre les murs du fort. Tôt ou tard, il faudrait prendre une décision. Puis les habitudes le ressaisissaient dans leur rythme monotone et Drogo ne pensait plus aux autres, aux camarades qui avaient fui à temps, aux anciens amis qui devenaient riches ou célèbres, il se consolait avec la vue des officiers qui vivaient dans le même exil que lui, sans penser qu'ils étaient peut-être les faibles ou les vaincus, le dernier exemple à suivre.

De jour en jour, Drogo remettait de prendre une décision; du reste, il se sentait encore jeune, il avait à peine vingt-cinq ans. Cette légère angoisse le poursuivait néanmoins sans trêve, et maintenant voici qu'il y avait l'histoire de cette lumière dans la plaine du nord, car il se pouvait aussi que Simeoni eût raison.

Au fort, ils étaient très peu qui en parlassent, traitant cela comme une chose sans importance et qui ne pouvait les concerner. La déception de la guerre manquée était encore trop proche, bien que personne n'eût jamais eu le courage de l'avouer. Et trop récente l'humiliation de voir partir les camarades, de rester en petit nombre, oubliés, à garder ces murs inutiles. La réduction des effectifs de la garnison avait clairement démontré que l'état-major n'attachait plus d'importance au fort Bastiani. Les illusions jadis si faciles et si souhaitées, on les repoussait maintenant avec rage. Simeoni, pour ne pas être l'objet des railleries, préférait se taire.

Du reste, les nuits suivantes, on ne vit plus la lumière mystérieuse, et de jour, non plus, on ne parvint plus à distinguer le moindre mouvement à l'extrémité de la plaine. Le commandant Matti, monté par curiosité au sommet du bastion, se fit donner la longue-vue par Simeoni et scruta en vain le désert.

— Reprenez donc votre longue-vue, lieutenant, dit-il ensuite à Simeoni d'un ton indifférent. Il serait peut-être bon que vous vous occupiez un peu plus de vos hommes au lieu de vous user inutilement les yeux. J'ai remarqué une sentinelle qui n'avait pas son baudrier. Allez donc voir, je crois que c'est celle-là, au fond.

Le lieutenant Maderna se trouvait là avec Matti, et le soir, au mess, il raconta l'incident, au milieu de grands éclats de rire. A présent tout le monde cherchait uniquement à passer son temps le plus agréablement possible et l'affaire du Nord fut oubliée.

Simeoni continua de discuter sur ce mystère avec le seul Drogo. Pendant quatre jours, effectivement, on n'avait plus vu ni lumières ni taches en mouvement, mais le cinquième jour, elles étaient de nouveau apparues. Les brumes du nord, Simeoni croyait pouvoir expliquer cela ainsi, augmentaient ou diminuaient selon les saisons, le vent et la température ; durant ces quatre jours, elles étaient descendues vers le sud, enveloppant le chantier présumé.

Non seulement la lumière reparut, mais au bout d'environ une semaine, Simeoni prétendit qu'elle s'était déplacée, avançant en direction du fort. Cette fois, Drogo protesta ; comment était-il possible, dans l'obscurité de la nuit, sans le moindre point de repère, de constater un tel déplacement, même s'il avait vraiment eu lieu ?

— En tout cas, disait avec entêtement Simeoni, tu admets que, si la lumière s'était déplacée, on ne pourrait le démontrer avec certitude. J'ai donc autant de raisons de dire qu'elle s'est déplacée que tu en as de dire qu'elle n'a pas bougé. Du reste, tu verras ; j'ai l'intention d'observer chaque jour ces petits points qui remuent ; tu verras que peu à peu ils se rapprocheront.

Le jour suivant, ils se mirent à regarder ensemble, se passant la longue-vue à tour de rôle. En réalité, on ne voyait rien d'autre que trois ou quatre minuscules taches qui se déplaçaient avec une grande lenteur. Il était déjà difficile de se rendre compte de ces mouvements. Il fallait prendre deux ou trois points de repère, l'ombre d'un rocher, la crête d'une petite éminence, et déterminer les distances relatives. Au bout de quelques minutes, on s'apercevait que ces distances n'étaient plus les mêmes. Signe que le petit point avait changé de position.

Il était extraordinaire que Simeoni eût pu s'en apercevoir la première fois. On ne pouvait pas exclure non plus la possibilité que ce phénomène se répétât depuis des années et même des siècles ; il se pouvait qu'il y eût là-bas un village ou un puits près duquel les caravanes se regroupaient, et jusqu'alors, personne, au fort, n'avait utilisé une longue-vue aussi puissante que celle de Simeoni.

Le déplacement des petites taches avait presque toujours lieu sur la même ligne, elles allaient et venaient. Simeoni pensait que c'était des tombereaux pour le transport des pierres ou du gravier ; les hommes, disait-il, étaient trop petits pour qu'on pût les voir à cette distance.

On ne distinguait, d'ordinaire, que trois ou quatre petits points se mouvant en même temps. Étant admis que c'étaient des tombereaux, raisonnait Simeoni, en plus des trois qui se déplaçaient, il devait au moins y en avoir six autres qui étaient arrêtés, pendant qu'on les chargeait et déchargeait, et ces six-là, on ne pouvait les identifier, car ils se confondaient avec les mille autres taches immobiles du paysage. Sur ce seul trajet, il y avait donc une dizaine de tombereaux que l'on faisait manœuvrer, probablement attelé chacun de quatre chevaux, comme c'était l'usage pour les lourds transports. Et, par conséquent, il devait y avoir des centaines d'hommes.

Ces observations, faites au début presque sous forme de pari et de jeu, devinrent le seul élément intéressant de la vie de Drogo. Bien que Simeoni ne lui fût pas particulièrement sympathique, à cause de son manque total de gaieté et de sa conversation pédante, Giovanni passait avec lui presque toutes ses heures de liberté, et même, le soir, au mess, les deux hommes veillaient et discutaient jusqu'à une heure tardive.

Simeoni avait déjà fait des hypothèses. En admettant même que les travaux procédassent lentement et que la distance fût plus grande que celle communément admise, il suffirait de six mois, disait-il, pour que la route arrivât à portée de canon du fort. Selon toutes probabilités, pensait-il, l'ennemi s'arrêterait à l'abri d'un repli de terrain qui traversait le désert dans le sens de la longueur.

Ce repli de terrain se confondait d'ordinaire avec le reste de la plaine à cause de sa couleur identique, mais parfois les ombres du soir ou des bancs de brume en révélaient la présence. Il dévalait vers le nord, sans qu'on pût savoir s'il était escarpé ni quelle était sa profondeur. En conséquence, la partie de désert qu'il dérobait à la vue de ceux qui regardaient de la Nouvelle Redoute était inconnue. (Des remparts du fort, à cause des montagnes qui étaient devant lui, on ne voyait pas ce repli.)

Du bord supérieur de cette dépression jusqu'au pied des montagnes, là où se dressait le cône rocheux de la Nouvelle Redoute, le désert s'étendait uniforme et plat, interrompu seulement par quelques crevasses, par des tas de décombres, par de rares zones plantées de roseaux.

Une fois la route parvenue en dessous du repli, prévoyait Simeoni, l'ennemi pourrait sans difficulté accomplir le reste du trajet, presque d'un bond, à la faveur d'une nuit couverte. Le terrain était suffisamment lisse et solide pour permettre également à l'artillerie d'avancer aisément.

Les six mois prévus comme maximum, ajoutait le lieutenant, pouvaient néanmoins devenir sept, huit, ou même plus nombreux encore, selon les circonstances. Parvenu à ce point, Simeoni énumérait les causes de retard possibles : une erreur dans le calcul de la distance totale à couvrir ; l'existence d'autres vallonnements intermédiaires, invisibles de la Nouvelle Redoute, où les travaux se révéleraient plus longs et plus difficiles ; un ralentissement progressif de la construction, au fur et à mesure que les étrangers s'éloignaient de leurs bases ; des complications de caractère politique qui pouvaient les contraindre à suspendre les travaux pendant un certain temps ; la neige, qui pourrait même paralyser totalement les travaux pendant deux mois ou plus ; les pluies, qui allaient transformer la plaine en marécage. C'étaient là les obstacles principaux. Simeoni tenait à les énumérer méticuleusement, un par un, pour ne pas avoir l'air d'un fou.

Et si la route n'avait pas de raison stratégique ? Si, par exemple, on la construisait à des fins agricoles, en vue de la culture de cette lande infinie jusqu'alors stérile et inhabitée ? Ou si simplement les étrangers s'arrêtaient au bout d'un ou deux kilomètres ? demandait Drogo.

Simeoni secouait la tête. Le désert était trop pierreux pour qu'on pût le cultiver, répondait-il. Le Royaume du Nord avait du reste d'immenses prairies abandonnées qui servaient seulement de pâturages et dont le sol eût été beaucoup plus indiqué pour une entreprise de ce genre.

Mais était-il tellement sûr que les étrangers fussent en train de construire une route ? Simeoni affirmait que, durant certaines journées où l'atmosphère était particulièrement limpide, vers le couchant, à l'heure où les ombres s'allongeaient démesurément, il avait réussi à distinguer la bande rectiligne de la chaussée. Mais Drogo ne l'avait pas vue, malgré tous ses efforts. Qui pouvait jurer que cette ligne droite ne fût pas un simple repli du terrain ? Le mouvement des mystérieux petits points noirs et la lumière que l'on voyait la nuit n'étaient pas absolument probants ; peut-être avaient-ils toujours été là ; et, au cours des années précédentes, personne ne les avait vus parce que, peut-être, ils étaient masqués par les brumes (sans parler de l'insuffisance des longues-vues surannées utilisées jusqu'alors au fort Bastiani).

Un jour, tandis que Drogo et Simeoni étaient en train de discuter de la sorte, la neige se mit à tomber. L'été n'est pas encore fini, telle fut la première pensée de Giovanni, et voici que la mauvaise saison est déjà là. Il lui paraissait en effet qu'il venait tout juste de revenir de la ville, et qu'il n'avait même pas eu le temps de se réinstaller. Et pourtant, le calendrier disait qu'on était le 25 novembre, et des mois entiers s'étaient écoulés.

La neige tombait du ciel, très drue, blanchissant les terrasses. En la regardant, Drogo éprouva avec plus d'acuité son angoisse habituelle; en vain cherchait-il à la chasser en pensant à sa jeunesse, aux très nombreuses années qui lui restaient encore à vivre. Inexplicablement, le temps s'était mis à s'enfuir de plus en plus vite, engloutissant un jour après l'autre. Il suffisait de regarder autour de soi et déjà la nuit tombait, le soleil disparaissait à l'horizon et reparaissait de l'autre côté pour éclairer un monde couvert de neige.

Les autres, ses camarades, ne semblaient pas s'en apercevoir. Ils accomplissaient sans enthousiasme leur service habituel, se réjouissaient même quand apparaissait le nom d'un nouveau mois sur la « décision » de la place, comme si cela eût représenté un gain pour eux. Autant de moins à passer au fort Bastiani, calculaient-ils. Ils avaient donc un but personnel à atteindre, qu'il fût médiocre ou glorieux, mais dont ils savaient se contenter.

Le commandant Ortiz, lui-même, qui allait sur la cinquantaine, assistait avec apathie à la fuite des semaines et des mois. Il avait désormais renoncé aux grandes espérances et : « Encore une dizaine d'années, disait-il, et puis j'aurai ma retraite. » Il rentrerait chez lui, expliquait-il, dans une vieille ville de province où vivaient certains de ses parents. Drogo le regardait avec sympathie, sans parvenir à le comprendre. Que ferait Ortiz là-bas, au milieu des civils, tout seul, sans plus de but ?

— J'ai appris à me contenter de peu, disait le commandant, devinant ce que pensait Giovanni. Chaque année, j'ai appris à désirer toujours moins. Si tout va bien pour moi, je rentrerai chez moi avec le grade de colonel.

— Et ensuite ? demandait Drogo.

— Et ensuite ? C'est tout, fit Ortiz avec un sourire résigné. Ensuite, j'attendrai encore... la récompense du devoir accompli, conclut-il d'un ton de plaisanterie.

— Mais ici, au fort, pendant ces dix ans, vous ne croyez pas que...

— Une guerre ? Vous pensez encore à une guerre ? On n'a pas eu assez de fausses alertes comme ça ?

Sur la plaine septentrionale, à la limite des brumes éternelles, on ne voyait plus rien de suspect ; la lumière nocturne elle-même ne brillait plus. Et Simeoni en était on ne peut plus satisfait, Cela démontrait qu'il avait eu raison : qu'il ne s'agissait ni d'un village, ni d'un campement de bohémiens, mais seulement de travaux, que la neige avait interrompus.

XXIII

L'hiver était descendu depuis plusieurs jours déjà sur le fort quand on lut, sur la décision quotidienne affichée dans son petit cadre, une étrange communication.

« *Faux bruits et regrettable agitation* », était-il écrit. « Suivant les instructions précises du Commandement Supérieur, j'invite les sous-officiers, gradés et hommes de troupe à n'accorder aucun crédit à des bruits dénués de tout fondement concernant des menaces présumées d'agression contre nos frontières ; je les invite en outre à ne pas répéter et à s'abstenir de répandre, de quelque façon que ce soit, lesdits bruits. Ces bruits, outre qu'ils sont inopportuns pour de simples raisons de discipline, sont sus-ceptibles de troubler les bons rapports entretenus avec l'État voisin, et de provoquer chez les hommes une nervosité inutile, nuisible à la bonne marche du service. Je désire que la surveillance effectuée par les sentinelles le soit avec des moyens normaux, et que, surtout, il ne soit pas fait recours à l'usage d'instruments d'optique d'un modèle non réglementaire, et qui, souvent employés sans discernement, prêtent facilement à l'erreur et aux fausses interprétations. Quiconque est en possession de tels instruments devra en faire la déclaration à son commandant de compagnie, lequel se chargera de confisquer lesdits instruments et de les garder. »

Suivaient les dispositions normales concernant le tour de garde quotidien et la signature du commandant du fort, le lieutenant-colonel Nicolosi.

Il était évident que la décision du jour, adressée pour la forme aux sous-officiers et hommes de troupe, l'était en réalité aux officiers. Nicolosi avait atteint de la sorte le double but de ne vexer personne et de mettre le fort tout entier au courant. Il était évident qu'aucun officier n'oserait plus se faire voir par les sentinelles en train de scruter le désert avec une longue-vue non réglementaire. Les instruments dont étaient dotées les diverses redoutes étaient anciens, pratiquement inutilisables, et certains même avaient été égarés.

Qui avait mouchardé ? Qui avait averti le commandement supérieur, là-bas en ville ? Tout le monde pensa instinctivement à Matti, lui seul pouvait l'avoir fait, lui qui avait toujours le règlement sous la main quand il s'agissait d'étouffer tout ce qui pouvait être agréable, toutes les tentatives que l'on faisait pour respirer un peu.

La plupart des officiers en firent des gorges chaudes. Le commandement supérieur, disaient-ils, ne perdait pas la tête, il arrivait seulement avec deux ans de retard. En fait, qui donc songeait à une invasion par le nord? Ah oui! Drogo et Simeoni (on n'y pensait même plus à ces deux-là). Il semblait néanmoins incroyable que cet ordre du jour eût été rédigé spécialement pour eux deux. Un brave garçon comme Drogo, disaient-ils, ne pouvait certes constituer une menace pour personne, eût-il même passé toute la sainte journée une longue-vue à la main. Quant à Simeoni, on le jugeait, lui aussi, inoffensif.

Giovanni, par contre, eut d'instinct la certitude que la décision du lieutenant-colonel le concernait personnellement. Une fois de plus les choses de la vie se retournaient exactement contre lui. Quel mal y avait-il à ce qu'il restât des heures à observer le désert ? Pourquoi lui interdire cette consolation ? En pensant à cela, une profonde colère grandissait en lui. Lui qui s'était déjà préparé à attendre le printemps : la neige à peine fondue, espérait-il, la mystérieuse lumière reparaîtrait, les petits points noirs recommenceraient leur va-et-vient, l'espoir renaîtrait.

En fait, toute sa vie sentimentale était concentrée sur cet espoir et, cette fois-ci, il n'avait avec lui que Simeoni, les autres n'y songeaient même pas, ni même Ortiz, ni même le maître tailleur Prosdocimo. Il était beau maintenant, quand on était seul de la sorte, de nourrir jalousement un secret, non point comme aux jours lointains, avant la mort d'Angustina, où tout le monde échangeait des regards de conjurés, avec une sorte d'âpre émulation.

Mais maintenant on avait interdit l'usage des longues-vues. Simeoni, scrupuleux comme il l'était, n'oserait certainement plus se servir de la sienne. Même si la lumière venait à se rallumer aux confins des brumes éternelles, même si le va-et-vient des minuscules taches reprenait, ils ne pourraient plus le savoir; à l'œil nu, personne ne s'en apercevrait, personne, même pas les sentinelles d'élite, ces chasseurs réputés qui distinguent un corbeau à plus d'un kilomètre.

Ce jour-là, Drogo était anxieux de connaître l'opinion de Simeoni, mais il attendit jusqu'au soir, afin de ne pas attirer l'attention, car certainement quelqu'un serait allé rapporter immédiatement leur conversation. Du reste, Simeoni n'était pas venu au mess pour le déjeuner, et Giovanni ne l'avait vu nulle part ailleurs.

Simeoni parut au dîner, mais plus tard que d'habitude, quand Drogo avait déjà commencé. Il mangea à toute allure, se leva avant Giovanni, courut tout de suite à une table de jeu. Peut-être avait-il peur de se trouver seul avec Drogo ?

Ce soir-là, ils n'étaient ni l'un ni l'autre de service. Giovanni s'assit dans un fauteuil, à côté de la porte de la salle, afin de pouvoir aborder son camarade quand celui-ci sortirait. Et il remarqua que, tout en jouant, Simeoni le regardait furtivement, cherchant à ne pas se faire remarquer.

Simeoni joua jusqu'à une heure tardive, beaucoup plus tardive qu'à l'accoutumée, ce qui ne lui était jamais arrivé. Il continuait à jeter des coups d'œil vers la porte, espérant que Drogo se lasserait d'attendre. A la fin, quand tout le monde s'en alla, il dut se lever lui aussi et se diriger vers la sortie. Drogo l'accosta.

— Salut, Drogo, dit Simeoni avec un sourire embarrassé. Je ne t'avais pas vu, où étais-tu donc?

Ils s'étaient engagés dans l'un des nombreux couloirs sordides qui traversaient dans le sens de la longueur la masse du fort.

— J'étais assis et je lisais, dit Drogo. Je ne m'étais même pas aperçu qu'il fût si tard.

Ils marchèrent un moment en silence, à la pâle lueur des rares lanternes accrochées symétriquement sur chaque mur. Le groupe des autres officiers s'était déjà éloigné, on entendait le bruit confus de leurs voix qui venait de la lointaine pénombre. On était en pleine nuit et il faisait froid.

— Tu as lu la décision ? demanda brusquement Drogo. Tu as vu cette histoire de faux bruits ? Je me demande ce que ça cache. Et qui a bien pu aller moucharder ?

— Comment veux-tu que je le sache ? répondit presque grossièrement Simeoni, s'arrêtant au bas d'un escalier qui menait à l'étage supérieur. Tu montes par là ?

— Et ta longue-vue ? insista Drogo. On ne pourra plus s'en servir, de ta longue-vue, à moins que...

— Je l'ai déjà remise au commandement, interrompit Simeoni d'un air réservé. Cela me semblait préférable. D'autant plus qu'on nous tenait à l'œil.

— Tu aurais pu attendre, ce me semble. Peut-être que dans trois mois, quand la neige sera fondue, personne ne pensera plus à cette histoire, on aurait pu recommencer à regarder. La route, dont tu as parlé, comment faire pour la voir sans ta longue-vue ?

— Ah ! la route... Et il y avait dans la voix de Simeoni une sorte de pitié. Mais j'ai fini par me convaincre que c'est toi qui avais raison !

— Que j'avais raison, comment cela ?

— Que ce n'est pas du tout une route qu'ils sont en train de faire, qu'il doit vraiment y avoir un village ou un campement de bohémiens, comme tu le disais.

Simeoni avait donc si peur qu'il niait tout ? Par crainte d'une remontrance, il n'osait même pas parler avec lui, Drogo ? Giovanni regarda son camarade dans les yeux. Le couloir était complètement désert maintenant, on n'entendait plus la moindre voix, les ombres vacillantes des deux officiers se projetaient, monstrueuses, de chaque côté.

— Tu n'y crois plus, dis-tu ? demanda Drogo. Tu penses sérieusement que tu t'es trompé ? Et alors, toutes les hypothèses que tu faisais ?

— Façon comme une autre de passer le temps, fit Simeoni essayant de tout tourner en plaisanterie. J'espère que tu ne m'as pas pris au sérieux.

— La vérité, c'est que tu as peur, hein ? lui dit Drogo d'une voix mauvaise. Avoue-le, c'est à cause de la décision, et, maintenant, tu n'oses même plus parler.

— Je ne sais pas ce que tu as ce soir, répondit Simeoni. Je ne sais pas ce que tu veux dire. Avec toi, il n'y a pas moyen de plaisanter, voilà ce qu'il y a, tu prends tout au sérieux, comme un gosse, oui, comme un gosse.

Drogo ne répondit rien et le regarda longuement. Ils restèrent muets pendant quelques instants, dans le lugubre corridor, mais le silence était trop grand.

— Là-dessus, je vais me coucher, conclut Simeoni. Bonne nuit ! Et il s'engagea dans l'escalier qu'éclairait aussi, à chaque palier, une pauvre lanterne.

Simeoni atteignit le premier palier, disparut dans le couloir, on ne vit plus que son ombre sur le mur, puis même celle-ci disparut. Quelle larve, pensa Drogo.

XXIV

Cependant, le temps passait, toujours plus rapide; son rythme silencieux scande la vie, on ne peut s'arrêter même un seul instant, même pas pour jeter un coup d'œil en arrière. « Arrête ! Arrête ! » voudrait-on crier, mais on se rend compte que c'est inutile. Tout s'enfuit, les hommes, les saisons, les nuages ; et il est inutile de s'agripper aux pierres, de se cramponner au sommet d'un quelconque rocher, les doigts fatigués se desserrent, les bras retombent inertes, on est toujours entraîné dans ce fleuve qui semble lent, mais qui ne s'arrête jamais.

De jour en jour, Drogo sentait augmenter cette mystérieuse désagrégation, et en vain cherchait-il à s'y opposer. Dans la vie uniforme du fort, les points de repère lui faisaient défaut et les heures lui échappaient avant qu'il eût réussi à les compter.

Il y avait aussi cet espoir secret pour lequel Drogo gaspillait la meilleure part de sa vie. Pour alimenter cet espoir, il sacrifiait à la légère des mois et des mois, et il n'y en avait jamais assez. L'hiver, l'interminable hiver du fort, ne fut qu'une sorte d'acompte. L'hiver fini, Drogo attendait encore.

Une fois la belle saison venue, se disait-il, les étrangers reprendraient la construction de la route. Mais la longue-vue de Simeoni, qui permettait de les voir, n'était plus disponible. Toutefois, avec la progression des travaux — mais Dieu sait combien de temps encore il allait falloir — les étrangers se rapprocheraient et, un beau jour, ils arriveraient à portée des longues-vues surannées dont étaient encore dotés quelques corps de garde.

En conséquence, Drogo ne fixait plus au printemps l'échéance de son attente, mais à quelques mois plus tard, toujours dans l'hypothèse qu'on fût vraiment en train de construire une route. Et il était forcé de ruminer en secret toutes ces idées car Simeoni, qui craignait les ennuis, ne voulait plus en entendre parler ; quant à ses autres camarades, ils se seraient moqués de lui et ses supérieurs désapprouvaient des fantaisies de ce genre.

Au début de mai, Giovanni eut beau scruter la plaine avec la meilleure des longues-vues d'ordonnance, il ne réussit pas encore à découvrir le moindre signe d'activité humaine ; non plus que la lumière, la nuit, et Dieu sait si, la nuit, les feux se voient facilement, même à des distances incalculables.

Peu à peu, sa confiance diminuait. Il est difficile de croire à quelque chose quand on est seul et que l'on ne peut en parler avec personne. Juste à cette époque, Drogo s'aperçut à quel point les hommes restent toujours séparés l'un de l'autre, malgré l'affection qu'ils peuvent se porter ; il s'aperçut que, si quelqu'un souffre, sa douleur lui appartient en propre, nul ne peut l'en décharger si légèrement que ce soit ; il s'aperçut que, si quelqu'un souffre, autrui ne souffre pas pour cela, même si son amour est grand, et c'est cela qui fait la solitude de la vie.

Sa confiance commençait à se lasser et son impatience croissait, et, tout le temps, il entendait l'horloge qui sonnait des coups de plus en plus rapprochés. Il lui arrivait déjà de laisser passer des journées entières sans jeter même un coup d'œil vers le nord (bien que, parfois, il se plût à se mentir à lui-même et à se persuader que c'était un oubli, alors qu'à la vérité il faisait cela exprès, pour avoir un soupçon de chance de plus, la fois suivante).

Un soir, finalement — mais le temps qu'il avait fallu ! — une petite lumière tremblotante apparut au bout de sa longue-vue, faible lueur qui semblait palpiter, agonisante, et qui, au contraire, devait être, étant donnée la distance, une illumination respectable.

C'était la nuit du 7 juillet. Pendant des années, Drogo se rappela la joie merveilleuse qui inonda son âme, et l'envie qu'il eut de courir et de crier, pour que tout le monde fût au courant, et l'orgueilleux effort qu'il fit pour ne rien dire à personne, dans la crainte superstitieuse de voir s'éteindre la lumière.

Tous les soirs, au sommet des remparts, Drogo se mettait à attendre ; tous les soirs, la petite lumière semblait se rapprocher un peu et devenir plus grande. Ce ne devait être souvent qu'une illusion, née de son désir, mais certaines fois néanmoins c'était un progrès réel, à tel point que, finalement, une sentinelle aperçut cette lumière, à l'œil nu.

On commença ensuite également d'entrevoir de jour, sur le fond blanchâtre du désert, un mouvement de petits points noirs, comme l'année d'avant, avec la seule différence que maintenant la longue-vue était moins puissante et que, par conséquent, l'ennemi avait dû considérablement se rapprocher.

En septembre, la lumière du chantier présumé était aperçue distinctement, pendant les nuits sereines, même par les gens à la vue normale. Peu à peu, entre militaires, on se reprit à parler de la plaine du nord, des étrangers, de ces bizarres mouvements et de ces lumières nocturnes. Beaucoup disaient que c'était vraiment une route, sans réussir pourtant à en expliquer le but ; l'hypothèse de travaux stratégiques semblait absurde. Du reste, les travaux paraissaient avancer avec une extraordinaire lenteur, étant donnée la très grande distance qui restait à parcourir.

Un soir, pourtant, on entendit quelqu'un parler, en termes vagues, de guerre, et d'étranges espoirs recommencèrent à tournoyer entre les murs du fort.

XXV

Un pieu est planté sur le bord supérieur du repli de terrain qui coupe la plaine du nord dans le sens de la longueur, à moins d'un kilomètre du fort. De là jusqu'au cône rocheux de la Nouvelle Redoute, le désert s'étend uniforme et compact, comme pour permettre à l'artillerie d'avancer sans encombre. Un pieu est fiché sur le bord supérieur de la dépression, singulier signe humain, que l'on distingue très bien, même à l'œil nu, du sommet de la Nouvelle Redoute.

Les étrangers sont arrives jusque-là avec leur route. Le grand travail est finalement accompli, mais à quel terrible prix ! Le lieutenant Simeoni avait fait un pronostic, il avait dit six mois. Mais six mois n'ont pas suffi pour la construction, ni six mois, ni huit, ni dix. Maintenant la route est terminée, les convois ennemis peuvent descendre du septentrion, dans un galop serré, pour atteindre les remparts du fort ; il ne reste plus ensuite qu'à traverser le dernier espace, quelques centaines de mètres sur un terrain lisse et facile, mais tout cela a coûté cher. Il a fallu quinze ans, quinze interminables années qui, pourtant, ont passé comme un songe.

Si l'on regarde autour de soi, rien ne semble changé. Les montagnes sont restées identiques ; sur les murs du fort on voit toujours les mêmes taches, il y en a peut-être quelques nouvelles, mais de dimensions négligeables. Semblable est le ciel, semblable le désert des Tartares si l'on excepte ce pieu noirâtre sur le bord du repli de terrain et une bande toute droite que, selon l'éclairage, l'on voit ou ne voit pas, et qui est la fameuse route.

Quinze années qui ont été moins que rien pour les montagnes et qui n'ont pas fait grand mal non plus aux bastions du fort. Mais pour les hommes, elles ont été un long chemin à parcourir, encore que l'on ne comprenne pas comment elles ont passé si vite. Les visages sont toujours les mêmes, à peu de chose près ; les habitudes n'ont pas changé, ni les tours de garde, ni les propos que les officiers tiennent chaque soir.

Et pourtant, à regarder de près, on découvre la marque des années sur les visages. Et puis les effectifs de la garnison ont été encore diminués, de longs espaces de rempart ne sont plus garnis et l'on y accède sans mot de passe, les sentinelles sont placées aux seuls points essentiels, on a même décidé de fermer la Nouvelle Redoute et d'y envoyer seulement tous les dix jours un détachement en reconnaissance ; si peu d'importance attache désormais, au fort Bastiani, le Commandement Supérieur.

En fait, la construction de la route de la plaine du nord n'a pas été prise au sérieux par l'état-major. D'aucuns disent que c'est l'une des habituelles absurdités des commandements militaires, d'autres disent que, dans la capitale, on est certainement mieux informé ; il en résulte évidemment que la route n'a aucun but agressif ; il n'y a, du reste, pas d'autre explication qui s'offre, bien que celle-ci soit peu convaincante.

Au fort, la vie est devenue toujours plus monotone et solitaire ; le lieutenant-colonel Nicolosi, le commandant Monti, le lieutenant-colonel Matti ont pris leur retraite. Maintenant, la garnison est commandée par le lieutenant-colonel Ortiz, et tous les autres, à l'exception du maître tailleur Prosdocimo, qui est resté maréchal des logis, sont montés en grade.

Une fois de plus, par une magnifique matinée de septembre, Drogo, le capitaine Giovanni Drogo, remonte, à cheval, la route abrupte qui mène du plateau au fort Bastiani. Il vient d'avoir un mois de permission, mais au bout de vingt jours il s'en retourne déjà ; la ville, maintenant, lui est devenue complètement étrangère, ses anciens amis ont fait du chemin, ils occupent des positions importantes et le saluent à la hâte comme un officier quelconque. Même sa maison, cette maison que, pourtant, il continue d'aimer, lui emplit l'âme, quand il y retourne, d'une peine difficile à exprimer. La maison est presque chaque fois déserte, la chambre maternelle est vide pour toujours, les frères de Giovanni sont éternellement absents, l'un s'est marié et habite une autre ville, un autre est tout le temps en voyage ; dans les pièces, il n'y a plus de signes d'une vie familière, les voix résonnent exagérément et il n'est pas suffisant d'ouvrir les fenêtres au soleil.

Ainsi, une fois encore, Drogo remonte la Vallée du fort Bastiani et il a quinze ans de moins à vivre. Hélas ! il ne ressent pas de grand changement, le temps a fui si rapidement que son âme n'a pas réussi à vieillir. Et l'angoisse obscure des heures qui passent a beau se faire chaque jour plus grande, Drogo s'obstine dans l'illusion que ce qui est important n'est pas encore commencé. Giovanni attend, patiemment, son heure qui n'est jamais venue, il ne pense pas que le futur s'est terriblement raccourci, que ce n'est plus comme jadis, quand le temps à venir pouvait lui sembler une immense période, une richesse inépuisable que l'on ne risquait rien à gaspiller.

Et pourtant, un jour, il s'est aperçu que, depuis assez longtemps, il n'allait plus galoper sur l'esplanade, derrière le fort. Il s'est même aperçu qu'il n'en avait aucune envie et que, ces derniers mois (Dieu sait depuis quand exactement ?), il ne montait plus les escaliers quatre à quatre. Bêtises, a-t-il pensé ; physiquement, il se sentait toujours le même : il n'y avait aucun doute, le tout était de recommencer ; se faire examiner eût été ridicule et superflu.

Non, physiquement, Drogo n'est pas diminué, s'il voulait recommencer à faire du cheval et à grimper à toute vitesse les escaliers, il en serait parfaitement capable, mais ce n'est pas là ce qui importe. Ce qui est grave, c'est qu'il n'en éprouve plus l'envie, c'est qu'après le déjeuner il préfère faire une petite sieste au soleil plutôt que de se promener sur le plateau pierreux. C'est cela qui compte, cela seul marque le passage des années.

Oh! s'il avait pensé à cela, le premier soir où il monta les escaliers une marche à la fois ! Il se sentait un peu las, c'est vrai, il avait la tête dans une sorte d'étau et il n'avait pas la moindre envie de faire son habituelle partie de cartes (il avait, du reste, auparavant, renoncé déjà parfois à grimper les escaliers quatre à quatre, à cause de malaises passagers). Il ne se douta pas le moins du monde que ce soir-là fut très triste pour lui, que, sur ces marches, à cette heure précise, sa jeunesse s'achevait, que, le lendemain, sans aucune raison particulière, il ne reviendrait pas à ses anciens errements, et le surlendemain non plus, ni plus tard, ni jamais.

A présent, cependant que Drogo chevauche en méditant sous le soleil, le long de la route escarpée, et que sa monture, déjà un peu fatiguée, va au pas, à présent, une voix l'appelle de l'autre côté de la vallée.

— Mon capitaine ! entendit-il crier et, s'étant tourné, il aperçut sur l'autre route, sur le bord opposé du ravin, un jeune officier à cheval ; il ne le reconnut pas, mais il lui sembla distinguer des galons de lieutenant et il pensa que c'était un autre officier du fort, qui, comme lui, rentrait de permission.

— Qu'y a-t-il ? demanda Giovanni après avoir répondu au salut réglementaire de l'autre.

Quelles raisons pouvait bien avoir ce lieutenant pour le héler de cette façon vraiment trop désinvolte ?

— Qu'y a-t-il ? répéta, comme l'autre ne répondait pas, Drogo, d'une voix plus haute et cette fois légèrement irritée.

Droit sur sa selle, le lieutenant inconnu se fit un porte-voix de ses mains et répondit de toutes ses forces :

— Rien, je voulais seulement vous saluer !

Cela parut à Giovanni une explication stupide, presque offensante, qui pouvait laisser croire à une plaisanterie. Encore une demi-heure de cheval, jusqu'au pont, et puis les deux routes se rejoignaient. Quel besoin y avait-il donc de s'abandonner à ces exubérances de civils ?

— Qui êtes-vous ? cria pour toute réplique Drogo.

— Lieutenant Moro ! telle fut la réponse ou, du moins, tel fut le nom que Drogo crut entendre.

Lieutenant Moro ? se demanda-t-il. Au fort, il n'y avait aucun nom de ce genre. Sans doute un nouvel officier subalterne qui venait prendre son service ?

Ce fut alors seulement que le frappa, faisant douloureusement résonner son âme, le souvenir de ce jour si lointain où, pour la première fois, il était monté au fort, le souvenir de sa rencontre avec le capitaine Ortiz, juste au même endroit de la vallée, le souvenir du désir anxieux qu'il avait de parler avec une personne amie et de l'embarrassant dialogue à travers le ravin.

Exactement comme ce jour-là, pensa-t-il, avec cette différence que les rôles étaient intervertis et que maintenant c'était lui, Drogo, le vieux capitaine, qui montait pour la centième fois au fort

Bastiani, cependant que le nouveau lieutenant était un certain Moro, un inconnu. Drogo comprit qu'une génération entière s'était entre temps écoulée, qu'il avait maintenant dépassé le sommet de son existence, qu'il était maintenant arrivé du côté des vieux, où, en ce jour lointain, il lui avait semblé que se trouvait Ortiz. Et à quarante ans passés, sans avoir rien fait de bon, sans enfants, vraiment seul au monde, Giovanni regardait autour de lui avec effroi, sentant décliner son propre destin.

Il voyait de gros rochers couverts de buissons, des ravins humides, de lointaines crêtes dénudées se chevauchant dans le ciel, le visage impassible des montagnes; et, de l'autre côté de la vallée, ce nouveau lieutenant, timide et dépaysé, qui se figurait certainement qu'il n'allait rester que quelques mois au fort et qui rêvait d'une brillante carrière, de glorieux faits d'armes, de romantiques amours.

D'une main, il flatta l'encolure de sa monture qui tourna amicalement la tête, mais qui, bien sûr, ne pouvait le comprendre. Drogo avait le cœur serré, adieu les rêves du temps passé, adieu les belles choses de la vie. Le soleil brillait limpide et bienfaisant pour les hommes, un air vivifiant descendait de la vallée, les prairies embaumaient, des chants d'oiseaux accompagnaient la musique du torrent. Une journée de bonheur pour les hommes, se dit Drogo, et il s'étonnait que rien ne fût différent en apparence de certaines merveilleuses matinées de sa jeunesse. Le cheval se remit en route. Une demi-heure plus tard, Drogo vit le pont où se rejoignaient les routes, il pensa que, sous peu, il allait falloir se mettre à parler avec le nouveau lieutenant et il éprouva un sentiment pénible.

XXVI

Pourquoi, maintenant que la route était terminée, les étrangers avaient-ils disparu ? Pourquoi hommes, chevaux et chariots avaient-ils remonté la grande plaine, pour finalement s'évanouir dans les brumes du nord ? Tout ce travail pour rien ?

En effet, on vit s'éloigner une à une les équipes de terrassiers, jusqu'au moment où elles devinrent de minuscules petits points noirs, visibles seulement à la longue-vue, comme quinze ans auparavant. La route était ouverte aux soldats : au tour de l'armée maintenant de s'avancer pour donner l'assaut au fort Bastiani.

Mais on ne vit pas s'avancer d'armée. Il ne restait à travers le désert des Tartares que le ruban de la route, singulier signe d'ordre humain dans cette séculaire solitude. L'armée ne vint pas donner l'assaut, tout sembla être laissé en suspens, qui sait pour combien d'années.

Ainsi, la plaine demeura immobile, et immobiles les brumes septentrionales, immobile la vie réglementaire du fort Bastiani ; les sentinelles répétaient toujours le même parcours, de ce point-ci à celui-là du chemin de ronde ; identique était le rata de la troupe ; une journée était semblable à l'autre, se répétant à l'infini, comme des soldats qui marquent le pas. Et pourtant, le temps courait ; sans se soucier des hommes, il allait et venait par le monde, flétrissant les belles choses ; et personne ne parvenait à lui échapper, même pas les enfants nouveau-nés qui n'ont pas encore de nom.

Même le visage de Giovanni, qui commençait à se couvrir de rides, ses cheveux qui devenaient gris et son pas, moins léger ; le torrent de la vie l'avait maintenant rejeté sur un bord, vers les remous riverains, bien qu'au fond il n'eût même pas cinquante ans. Drogo, naturellement, ne prenait plus la garde : il avait un bureau à l'état-major même, contigu à celui du lieutenant-colonel Ortiz.

Quand la nuit tombait, le nombre restreint des hommes de garde ne suffisait plus à empêcher que les ténèbres s'emparassent du fort. De vastes secteurs de remparts n'étaient pas gardés et c'est par là que s'introduisaient les idées inquiètes de la nuit, la tristesse d'être seuls. En fait, le vieux fort, entouré de territoires vides, était comme une île perdue : à droite et à gauche, les montagnes, au sud, la longue vallée inhabitée et, de l'autre coté, la plaine des Tartares. Des bruits étranges, tels qu'on n'en avait jamais entendu, retentissaient au cœur de la nuit à travers les labyrinthes des fortifications, et le cœur des sentinelles se mettait à battre. D'une extrémité des murailles à l'autre courait encore le cri de « Sentinelle, prenez garde à vous ! » mais les soldats devaient faire un gros effort pour se le transmettre, telle était la distance qui les séparait l'un de l'autre.

Drogo fut le témoin, à cette époque-là, des premières angoisses du lieutenant Moro, et il crut voir une reproduction fidèle de sa propre jeunesse. Moro, lui aussi, avait été terrifié dès le début, il s'était précipité chez le commandant Simeoni qui remplaçait en quelque sorte Matti ; on l'avait persuadé de rester quatre mois, et il avait fini par être comme englué ; Moro, lui aussi, s'était mis à regarder avec trop d'insistance la plaine du nord, avec sa nouvelle route toute neuve et inutilisée le long de laquelle descendaient les espoirs guerriers. Drogo eût bien voulu lui parler, lui dire de faire attention, de s'en aller pendant qu'il en était encore temps ; d'autant plus que Moro était un garçon sympathique et scrupuleux. Mais une bêtise quelconque intervenait toujours pour empêcher cette conversation et, du reste, elle eût probablement été inutile.

Au fur et à mesure que s'amassaient l'une sur l'autre les pages grises des jours, les pages noires des nuits, l'angoisse de ne plus avoir le temps augmentait chez Drogo et chez Ortiz (et peut-être aussi chez quelques autres vieux officiers). Insensibles à la fuite des années, les étrangers ne bougeaient jamais, comme s'ils eussent été immortels et qu'il leur fût indifférent de gaspiller par jeu de longues saisons. Le fort, en revanche, contenait de pauvres hommes, sans défense contre les attaques du temps, dont le terme ultime s'approchait. Des dates qui, jadis, avaient paru invraisemblablement reculées, apparaissaient brusquement au proche horizon, rappelant les dures échéances de la vie. Chaque fois, pour pouvoir continuer, il fallait s'organiser à nouveau, trouver de nouveaux termes de comparaison, se consoler avec la vue de ceux qui se trouvaient plus mal que vous.

Jusqu'au moment où Ortiz, lui aussi, dut prendre sa retraite (et, dans la plaine du nord, on n'apercevait pas le moindre signe de vie, même pas une minuscule lumière). Le lieutenant-colonel Ortiz transmit les consignes à Simeoni, le nouveau commandant du fort, fit rassembler les hommes dans la cour, à l'exception, naturellement, des détachements de garde, prononça péniblement quelques mots, monta sur son cheval, aidé pár son ordonnance, et sortit par la porte du fort. Un lieutenant et deux soldats lui faisaient escorte.

Drogo l'accompagna jusqu'à la limite de l'esplanade, et, là, ils prirent congé l'un de l'autre. C'était le matin d'une longue journée d'été, dans le ciel passaient des nuages dont les ombres faisaient d'étranges taches dans le paysage. Descendant de cheval, le lieutenant-colonel Ortiz alla à l'écart avec Drogo, et tous deux se taisaient, ne sachant comment se dire adieu. Puis ils finirent par prononcer des paroles gênées et banales, combien différentes de celles qu'ils avaient dans le cœur, combien plus pauvres aussi.

— Maintenant, dit Drogo, la vie va changer pour moi. Je voudrais bien partir, moi aussi. J'ai presque envie de donner ma démission.

— Tu es encore jeune ! dit Ortiz. Ce serait une idiotie, tu as encore le temps !

— Le temps de quoi faire ?

— La guerre. Tu verras, avant deux ans...

Ortiz disait cela, mais en lui-même il espérait le contraire : en réalité, il souhaitait que Drogo s'en allât comme lui, sans avoir eu sa grande chance ; cela lui eût semblé une chose injuste. (Et pourtant, il avait de l'amitié pour Drogo et lui voulait tout le bien du monde.)

Mais Giovanni garda le silence.

— Tu verras, insista alors Ortiz avec l'espoir d'être contredit, avant deux ans, j'en suis sûr.

— Deux ans ! dit finalement Drogo. Il se passera

des siècles sans que rien arrive. Maintenant la route est abandonnée, il ne viendra plus personne du nord.

Et, bien que telles fussent ses paroles, ce qu'il pensait au fond de lui-même était tout autre : absurde, inattaqué par les années, se maintenait en lui, depuis sa jeunesse, cet obscur pressentiment de choses fatales, une profonde certitude que ce que la vie avait de bon n'avait pas encore commencé.

Ils se turent encore, se rendant compte que cette conversation les séparait l'un de l'autre. Mais que pouvaient-ils se dire, après avoir vécu côte à côte pendant presque trente ans entre les mêmes murs, avec les mêmes rêves ? Maintenant, après avoir si longtemps parcouru le même chemin, leurs deux routes se séparaient, l'une de-ci, l'autre de-là, et s'éloignaient vers des pays inconnus.

— Quel soleil ! dit Ortiz, et il regardait, avec des yeux ternis par l'âge, les murs du fort qu'il allait abandonner pour toujours. Ils semblaient toujours les mêmes, avec leur même couleur jaunâtre, leur même aspect romanesque. Ortiz les regardait intensément et nul, en dehors de Drogo, n'eût pu deviner combien il souffrait.

— Il fait vraiment chaud, répondit Giovanni qui se rappela Maria Vescovi et cette lointaine conversation dans le salon où parvenaient les mélancoliques arpèges d'un piano.

— Une chaude journée, effectivement, ajouta Ortiz et les deux hommes se sourirent ; un instinctif signe d'intelligence, comme pour dire qu'ils connaissaient parfaitement le sens de ces paroles idiotes. A présent, un nuage les avait rejoints, projetant son ombre sur eux ; pendant quelques minutes, l'esplanade tout entière s'assombrit et, par contraste, la sinistre splendeur du fort, encore baigné de lumière, devint éclatante. Deux grands oiseaux tournoyaient au-dessus de la première redoute. On entendit, lointaine, presque imperceptible, une sonnerie de trompette.

— Tu as entendu ? dit le vieil officier. La trompette.

— Non, je n'ai rien entendu, répondit Drogo, qui mentit parce qu'il avait vaguement l'impression de faire, de la sorte, plaisir à son ami.

— Peut-être me suis-je trompé. Nous sommes trop loin, effectivement, admit Ortiz, dont la voix trembla. Tu te souviens de la première fois, ajouta-t-il avec effort : quand tu es arrivé ici et que tu as été pris de frayeur ? Tu ne voulais pas rester, tu t'en souviens ?

— Il y a bien longtemps... réussit seulement à dire Drogo, qui avait la gorge étrangement serrée.

Ortiz dit encore quelque chose, après avoir rêvé pendant quelques instants.

— Qui sait ! « dit-il. Dans une guerre, j'aurais peut-être pu servir à quelque chose. J'aurais peut-être pu être utile. Dans une guerre ; mais pour le reste, zéro, comme on l'a vu... »

Le nuage s'était éloigné, il avait déjà dépassé le fort ; maintenant, il glissait à travers la plaine désolée des Tartares, allant toujours plus vers le nord, silencieux. Adieu, adieu. Une fois le soleil revenu, les deux hommes projetèrent de nouveau une ombre. Les chevaux d'Ortiz et de son escorte, à une vingtaine de mètres de là, frappaient les pierres de leurs sabots, pour montrer leur impatience.

XXVII

On tourne la page, des mois et des années passent. Ceux qui furent les camarades d'école de Drogo sont presque las de travailler, ils ont des barbes carrées et grises, ils marchent avec calme dans les villes et on les salue respectueusement, leurs fils sont des hommes faits, certains sont déjà grands-pères. Les anciens amis de Drogo aiment maintenant s'attarder sur le seuil de la maison qu'ils ont fait construire, pour observer, satisfaits de leur propre carrière, l'écoulement du fleuve de la vie et, dans le tourbillon de la multitude, ils se plaisent à distinguer leurs propres enfants, les engageant à se dépêcher, à devancer les autres, à arriver les premiers. Mais Giovanni Drogo, lui, attend encore, bien que son espoir diminue à chaque instant.

Maintenant, oui, il a finalement changé. Il a cinquante-quatre ans, le grade de chef d'escadron et le commandement en second de la maigre garnison du fort. Jusqu'à ces derniers temps, il était à peu près le même, on pouvait dire de lui qu'il était encore jeune. De temps en temps, bien qu'avec effort, il faisait quelques promenades à cheval dans la plaine.

Puis il a commencé à maigrir, son visage est devenu d'une triste couleur jaune, ses muscles se sont amollis. Troubles hépatiques, disait le Dr Rovina, très vieux maintenant et obstinément décidé à finir ses jours au fort. Mais les poudres du Dr Rovina restèrent sans effet. Le matin, Giovanni s'éveillait avec une lassitude décourageante qui le prenait à la nuque. Assis ensuite dans son bureau, il lui tardait de voir arriver le soir pour pouvoir se jeter dans un fauteuil ou sur son lit. Troubles hépatiques aggravés par une usure générale, disait le médecin, mais une telle usure était on ne peut plus étrange avec la vie que menait Giovanni. En tout cas, c'était une chose passagère, fréquente à cet âge, disait le Dr Rovina, elle durait peut-être un peu longtemps, mais il n'y avait aucun danger de complications.

Une attente supplémentaire se greffa de la sorte sur la vie de Drogo : l'espoir de guérir. Du reste, il ne montrait pas d'impatience. Le désert septentrional était toujours vide, rien ne faisait présager une éventuelle incursion ennemie.

— Tu as meilleure mine, lui disaient presque chaque jour ses collègues, mais en réalité Drogo ne ressentait pas le moindre soulagement. Les maux de tête et les douloureuses diarrhées des premiers temps avaient bien disparu ; il ne souffrait d'aucun endroit en particulier. Pourtant, il avait dans l'ensemble de moins en moins d'énergie, de forces.

— Prends un congé, lui disait Simeoni, le commandant du fort. Va te reposer : un séjour au bord de la mer te ferait du bien.

Et Drogo lui disant que non, que déjà il se sentait mieux, qu'il préférait rester, Simeoni hochait la tête avec reproche, comme si Giovanni eût repoussé avec ingratitude un conseil précieux, un conseil qui était absolument dans l'esprit du règlement, et qui n'avait d'autre but que la bonne marche du service et le bien personnel de Drogo.

Si Simeoni réussissait finalement à faire regretter Matti, c'était parce qu'il faisait tellement peser sur les autres l'exemple de sa propre et vertueuse personne.

Quel que fût le sujet de ses discours, ses paroles, d'apparence très cordiales, avaient toujours une vague saveur de reproche pour tous les autres, comme s'il eût été le seul à faire son devoir jusqu'au bout, comme si lui seul eût été le soutien du fort, comme si lui seul eût été capable de trouver un remède aux innombrables ennuis qui, autrement, eussent jeté partout le désordre et la confusion. Matti, lui aussi, à la belle époque, avait été un peu ainsi, mais il était moins hypocrite; il importait peu à Matti de montrer la sécheresse de son cœur et une certaine et inhumaine rudesse ne déplaisait pas chez un soldat.

Par chance, Drogo s'était lié d'amitié avec le Dr Rovina et il avait obtenu la complicité de celui-ci pour pouvoir rester. Une obscure superstition lui disait que, s'il quittait maintenant le fort pour cause de maladie, il n'y reviendrait jamais plus. Cette idée était pour lui un motif d'angoisse. Vingt années plus tôt, il eût voulu s'en aller, vivre la tranquille et brillante vie de garnison, avec ses manœuvres estivales, ses exercices de tir, ses concours hippiques, ses théâtres, avec les réceptions, les jolies femmes. Mais maintenant, que lui serait-il resté de tout cela ? Il n'était plus qu'à quelques années de sa mise à la retraite, sa carrière était terminée, tout au plus pourrait-on lui donner un poste dans un quelconque régiment, uniquement pour le mener au bout de ses années de service. Il ne lui restait que peu d'années et peut-être qu'avant la fin de celles-ci pouvait se produire l'événement espéré. Il avait gaspillé ses belles années, maintenant il voulait au moins attendre jusqu'à la dernière minute.

Rovina, pour hâter la guérison, conseilla à Drogo de ne pas se surmener, de rester toute la journée au lit et de se faire apporter dans sa chambre les affaires à expédier. Ceci se passait par un mois de mars froid et pluvieux, accompagné d'énormes avalanches dans les montagnes ; des aiguilles entières s'écroulaient brusquement, pour des raisons inconnues, allant se fracasser dans les abîmes, et des bruits lugubres retentissaient dans la nuit, pendant des heures et des heures.

Finalement, péniblement, la belle saison commença de s'annoncer. La neige du col avait déjà disparu, mais des flaques de neige à demi fondue s'attardaient sur les terrasses et des nuages de neige, au-dessus du fort. Il fallait un soleil puissant pour les chasser, tant l'hiver avait rendu humide l'atmosphère des vallées. Mais un matin, en s'éveillant, Drogo vit briller sur le plancher un beau rayon de soleil et il comprit que le printemps était là.

Il se laissa envahir par l'espoir de retrouver ses forces avec le beau temps. Au printemps, un reste de vie ressuscite jusque dans les vieilles poutres ; de là proviennent les innombrables craquements qui peuplent ces nuits. Tout semble recommencer de nouveau, un souffle de santé et de joie parcourt le monde.

Voilà ce que pensait avec intensité Drogo, se remémorant, dans l'intention de se convaincre, les écrits d'illustres auteurs sur la question. Quittant son lit, il alla en chancelant à la fenêtre. La tête lui tournait un peu, mais il se consola en pensant qu'il en est toujours ainsi quand on se lève après plusieurs jours de lit, même si l'on est guéri. Effectivement, cette impression de vertige disparut et Drogo put voir le soleil dans toute sa splendeur.

Une joie sans limites semblait répandue sur le monde. Drogo ne pouvait en constater directement l'existence, car, en face, il y avait le mur, mais il la devinait sans peine. Même ces vieux murs, même la terre rougeâtre de la cour, même les bancs de bois décoloré, une charrette vide, un soldat qui passait lentement, même eux qui semblaient contents. Dieu sait ce que ce devait être dehors, au delà des murs !

Il fut tenté de s'habiller et d'aller s'asseoir en plein air dans un fauteuil pour jouir du soleil, mais un léger frisson lui fit peur et l'incita à se recoucher. « Néanmoins, aujourd'hui, je me sens mieux, vraiment mieux », pensait-il, convaincu de ne pas se faire d'illusions.

La merveilleuse matinée de printemps passait tranquillement ; sur le dallage, le rayon de soleil se déplaçait lentement. Drogo l'observait de temps en temps, sans la moindre envie d'examiner les dossiers tachés d'encre qui étaient sur un guéridon près du lit. Il y avait en outre un extraordinaire silence que ne rompaient ni les rares sonneries de trompettes, ni les clapotis de la citerne. Drogo, en effet, même après sa nomination au grade de commandant, n'avait pas voulu changer de chambre, craignant presque que cela ne lui portât malchance ; mais, maintenant, les sanglots du lavabo étaient devenus une habitude profonde et ne le gênaient plus.

Drogo observait une mouche qui s'était posée par terre, juste dans le rayon de soleil, insecte peu commun en cette saison — qui sait comment elle avait survécu à l'hiver. Il la regardait qui marchait avec circonspection, quand on frappa à la porte. C'était un coup différent des coups habituels, remarqua Giovanni. Ce n'était certes pas l'ordonnance, ni le capitaine Corradi du bureau du major, lequel avait l'habitude de demander si l'on pouvait entrer, ni aucun autre des visiteurs habituels.

— Entrez ! dit Drogo.

La porte s'ouvrit et Prosdocimo, le vieux maître tailleur, s'avança, tout courbé maintenant, vêtu d'une étrange tunique qui jadis avait dû être un uniforme de maréchal des logis. Il s'avança, haletant un peu, et fit un signe avec l'index de la main droite, comme pour indiquer quelque chose qui se trouvait par delà les murs.

— Les voilà ! Les voilà ! s'exclama-t-il en sourdine, comme s'il s'agissait d'un grand secret.

— Qui ça ? demanda Drogo, ahuri de voir le maître tailleur aussi ému.

« Je suis frais, pensa-t-il, ce type va commencer à m'abasourdir de son bavardage : je vais en avoir pour une heure au moins. »

— Ils arrivent par la route, si Dieu le veut, par la route du nord ! Tout le monde est monté sur les terrasses pour les regarder.

— Par la route du nord ? Des soldats ?

— Des bataillons et des bataillons ! criait hors de lui le petit vieillard, en serrant les poings. Cette fois-ci, il n'y a pas de doute, et, du reste, il est arrivé un pli de l'état-major pour nous prévenir qu'on nous envoie des renforts ! La guerre, la guerre ! criait-il, et l'on ne pouvait se rendre compte s'il n'était pas, aussi, un peu effrayé.

— Et on les voit déjà ? demanda Drogo. On les voit même sans longue-vue ?

Il s'était assis dans son lit, envahi par une terrible inquiétude.

— Bon Dieu, si on les voit ! On voit leurs canons, on en a déjà dénombré dix-huit !

— Et d'ici qu'ils puissent attaquer, combien de temps faut-il encore compter ?

— Ah ! grâce à cette route, ils vont vite ; moi, je prétends que dans deux jours ils seront ici, dans deux jours au maximum !

« Maudit soit ce lit, se dit Drogo, me voici cloué ici par la maladie ! » Il ne lui vint même pas à l'idée que Prosdocimo venait peut-être de raconter une histoire : il avait brusquement compris que tout cela était vrai, il s'était aperçu que l'air même était en quelque sorte différent, et aussi la lumière solaire.

— Prosdocimo, dit-il avec anxiété, va dire à Lucca, mon ordonnance, de venir ; il est inutile que je sonne, il doit être au bureau du major en train d'attendre qu'on lui donne les pièces, dépêche-toi, je t'en prie !

— Dépêchez-vous de vous lever, mon commandant, recommanda Prosdocimo en s'éloignant. Ne pensez plus à vos maladies, venez, vous aussi, sur les remparts, pour regarder !

Il sortit rapidement, oubliant de fermer la porte ; on entendit s'éloigner dans le couloir le bruit de ses pas, puis ce fut de nouveau le silence.

— Mon Dieu, balbutia Drogo sans parvenir à dominer son angoisse, mon Dieu, faites que je me porte mieux, je vous en conjure, au moins pendant six ou sept jours.

Il voulait à tout prix se lever sur-le-champ, aller immédiatement sur les remparts, se montrer à Simeoni, lui faire comprendre qu'il était disponible, qu'il était à son poste de commandement, qu'il allait, comme d'habitude, assumer ses responsabilités, comme d'habitude, comme s'il n'était pas malade.

Bang ! un courant d'air fit claquer violemment la porte. Dans le grand silence, le bruit se répercuta, puissant et méchant, comme une réponse à la prière de Drogo. Et pourquoi Lucca ne venait-il pas ? Combien de temps fallait-il donc à cet imbécile pour monter deux étages ?

Sans l'attendre, Drogo mit le pied par terre et fut pris d'un vertige qui disparut néanmoins, lentement, ensuite. Maintenant, il était devant le miroir et regardait avec épouvante son visage, jaune et émacié. « C'est la barbe qui me donne cette tête », essaya de se dire Giovanni ; et d'un pas incertain, toujours en chemise de nuit, il tourna dans la pièce à la recherche de son rasoir. Mais pourquoi Lucca ne se décidait-il pas à venir ?

Bang ! fit de nouveau la porte, mue par le courant d'air. Drogo, poussant un juron, se dirigea vers elle pour la fermer. A ce même moment, il entendit les pas de l'ordonnance qui s'approchaient.

Rasé et habillé avec soin — mais il avait l'impression de flotter dans son uniforme trop large, — le commandant Giovanni Drogo sortit de sa chambre et s'engagea dans le couloir qui lui parut beaucoup plus long que d'habitude. Lucca marchait près de lui, légèrement en arrière, prêt à le soutenir, car il voyait combien l'officier avait de peine à se tenir debout. Maintenant les vertiges revenaient par à-coups : chaque fois Drogo devait s'arrêter et s'appuyer au mur. « Je me suis trop agité : l'habituelle nervosité, pensa-t-il. Mais, dans l'ensemble, je me sens mieux. »

Effectivement, les vertiges cessèrent et Drogo arriva sur la terrasse supérieure du fort, où divers officiers étaient en train de scruter avec des longues-vues le triangle de plaine que les montagnes laissaient visible. Le plein éclat du soleil, auquel il n'était plus habitué, éblouit Giovanni et il répondit distraitement aux saluts des officiers présents. Il lui parut, mais peut-être n'était-ce qu'une fausse impression, que ses subalternes le saluaient avec une certaine désinvolture, comme s'il n'était plus leur supérieur direct, l'arbitre, en un sens, de leur vie quotidienne. Le considéraient-ils déjà comme liquidé ?

Cette pensée désagréable ne fit que traverser son esprit, cédant à la principale préoccupation : l'idée de la guerre. Tout d'abord, Drogo vit une légère fumée s'élever de la Nouvelle Redoute : on y montait donc de nouveau la garde. Des mesures exceptionnelles avaient déjà été prises, le commandement était déjà en mouvement, sans que personne lui en eût référé, à lui, commandant en second?

On ne l'avait même pas averti. Si Prosdocimo, de sa propre initiative n'était pas venu le chercher, Drogo eût été encore au lit, ignorant de la menace qui pesait sur le fort.

Il fut saisi d'une rage cuisante et amère, ses

yeux se voilèrent, il dut s'appuyer au parapet de la terrasse, et il le fit aussi discrètement que possible, pour que les autres ne vissent pas à quel état il était réduit. Il se sentait horriblement seul, au milieu d'ennemis. Il y avait bien quelques jeunes lieutenants, comme Moro, qui avaient de l'affection pour lui, mais à quoi pouvait lui servir la sympathie des subalternes ?

A ce moment-là, il entendit crier : « A vos rangs, fixe ! » Le lieutenant-colonel, le visage tout rouge, s'avançait à pas précipités.

— Ça fait une demi-heure que je te cherche partout, cria-t-il à Drogo. Je ne savais plus que faire ! Il faut prendre des décisions !

Il s'approcha avec une cordialité exubérante, fronçant les sourcils, comme s'il était très préoccupé et anxieux de recevoir les conseils de Drogo. Giovanni se sentit désarmé, sa colère s'évanouit d'un coup, bien qu'il sût très bien que Simeoni était en train de le tromper. Simeoni s'était figuré que Drogo ne pouvait pas bouger, il ne s'était plus soucié de lui, il avait pris des décisions tout seul, quitte à l'informer ensuite quand tout aurait été exécuté : là-dessus, on lui avait dit que Drogo se promenait dans le fort, et il avait couru à sa recherche, anxieux de prouver sa bonne foi.

— J'ai là un message du général Stazzi, dit Simeoni prévenant toute question de Drogo et le menant à l'écart pour que les autres ne pussent entendre. Deux régiments vont arriver, comprends-tu. Et où est-ce que je vais les mettre ?

— Deux régiments de renfort, fit Drogo abasourdi.

Simeoni lui donna le message. Le général annonçait que, par mesure de sécurité, dans la crainte de possibles provocations ennemies, deux régiments, le 17e d'infanterie et un autre régiment nouvellement formé, plus un groupe d'artillerie légère, avaient été envoyés pour renforcer la garnison du fort ; il demandait que l'on rétablît, dès que possible, le service de garde selon l'ancien règlement, c'est-à-dire avec les effectifs au complet, et que l'on préparât les cantonnements pour les officiers et la troupe. Une partie de celle-ci, naturellement, coucherait sous la tente.

— En attendant, j'ai envoyé un détachement à la Nouvelle Redoute. J'ai bien fait, n'est-ce pas ? ajouta Simeoni sans laisser à Drogo le temps de parler. Tu les as déjà vus ?

— Oui, oui, tu as bien fait, répondit péniblement Giovanni.

Les paroles de Simeoni parvenaient à ses oreilles avec un son haché et irréel ; autour de lui les choses dansaient désagréablement. Drogo se sentait mal, une atroce sensation d'épuisement s'était brusquement emparée de lui, toute sa volonté se concentrait sur l'effort nécessaire pour se tenir debout. O mon Dieu, ô mon Dieu, supplia-t-il mentalement, aidez-moi un peu !

Pour dissimuler sa lassitude, il se fit donner une longue-vue (c'était la fameuse longue-vue du lieutenant Simeoni) et se mit à regarder vers le nord, les coudes appuyés au parapet, ce qui l'aidait à se tenir debout. Oh ! si au moins les ennemis avaient un peu attendu, une semaine lui suffisait pour se remettre, ils avaient attendu si longtemps, ne pouvaient-ils retarder de quelques jours encore, de quelques jours seulement ?

Il regarda dans la longue-vue le triangle de

désert visible, espérant ne rien apercevoir, espérant que la route serait déserte, qu'il n'y aurait aucun signe de vie ; voilà ce que souhaitait Drogo après avoir consumé sa vie à attendre l'ennemi.

Il espérait ne rien découvrir et, au lieu de cela, une bande noire traversait obliquement le fond blanc de la plaine et cette bande bougeait, c'était un fourmillement d'hommes et de convois qui descendaient vers le fort. Bien autre chose que les misérables colonnes en armes du temps de la délimitation de la frontière. C'était l'armée du Nord, finalement, et qui sait...

A ce moment-là, Drogo vit l'image de la longue-vue qui se mettait à tourner, à tourbillonner, qui devenait de plus en plus sombre et ce fut l'obscurité totale. Il s'affaissa, évanoui, sur le parapet, telle une marionnette. Simeoni le soutint à temps ; en soulevant ce corps privé de vie, il sentit, à travers l'étoffe, le squelette décharné.

XXVIII

Un jour et une nuit passèrent, le commandant Giovanni Drogo était étendu sur son lit ; de temps en temps, le clapotis de la citerne parvenait jusqu'à lui, mais c'était le seul bruit qu'il pût entendre, bien que dans tout le fort une agitation anxieuse ne cessât de grandir. Isolé de tout, Drogo, l'oreille tendue, écoutait son corps, guettant l'instant où ses forces enfuies reviendraient. Le Dr Rovina lui avait dit que c'était l'affaire de quelques jours. Mais de combien de jours en réalité ? Pourrait-il au moins, lorsque arriveraient les ennemis, se mettre debout, s'habiller, se traîner jusque sur le toit du fort ? De temps en temps, il se levait et chaque fois il avait l'impression de se sentir un peu mieux ; il allait sans appui jusque devant son miroir, mais, là, l'image sinistre de son visage, toujours plus terreux, les yeux toujours plus caves, anéantissait ses nouveaux espoirs. Pris de vertige, il retournait en titubant à son lit, maudissant le médecin qui ne parvenait pas à le guérir.

Déjà le rais de soleil sur le dallage avait fait un grand parcours, il devait être au moins onze heures, des voix inaccoutumées montaient de la cour et Drogo gisait immobile, l'œil fixé sur le plafond, quand le lieutenant-colonel Simeoni, commandant du fort, entra dans la chambre.

— Comment va ? demanda-t-il vivement. Un peu mieux ? Mais tu es bien pâle, tu sais ?

— Je le sais, répondit froidement Drogo. Et ceux du Nord, se sont-ils rapprochés ?

— S'ils se sont rapprochés ! dit Simeoni. L'artillerie est déjà en haut du repli et, à présent, ils sont en train de l'installer... mais il faut que tu m'excuses si je ne suis pas venu... c'est devenu infernal ici. Cet après-midi, arrivent les premiers renforts, ce n'est que maintenant que j'ai trouvé cinq minutes de liberté...

— Demain, dit Drogo, qui eut la surprise d'entendre trembler sa voix, demain, j'espère me lever, je pourrai t'aider un peu.

— Mais non, mais non, ne te fais pas des idées, pense seulement à guérir et ne crois pas que je t'aie oublié. J'ai même une bonne nouvelle pour toi :

aujourd'hui, une magnifique voiture va venir te chercher. Guerre ou pas, osa-t-il dire, les amis avant tout...

— Une voiture va venir me chercher ? Pourquoi cela ?

— Mais oui, elle vient spécialement. Tu ne voudrais pas rester toujours ici dans cette horrible chambre, en ville tu pourras mieux te soigner, dans un mois tu seras de nouveau d'attaque. Et ne t'inquiète pas pour ici : maintenant, le plus dur est fait.

Une colère terrible s'empara de Drogo. Lui qui avait renoncé aux plus belles choses de l'existence pour attendre les ennemis, lui qui, depuis plus de trente ans, s'était nourri de cette unique espérance, allait-on le chasser juste maintenant, au moment où la guerre arrivait ?

— Tu aurais pu au moins me demander mon avis, répondit-il d'une voix tremblante de colère. Je ne veux pas bouger, je veux rester ici, je suis moins malade que tu ne le crois, demain, je vais me lever...

— Ne t'agite pas, je t'en prie : nous n'en ferons rien... Si tu t'agites, ton état s'aggravera encore, fit Simeoni se forçant à sourire avec compréhension. Cela me semblait seulement beaucoup mieux. Rovina, aussi, est de cet avis...

— Comment ça, Rovina ? C'est Rovina qui t'a dit de faire venir la voiture ?

— Non, non. Avec Rovina, nous n'avons pas parlé de la voiture. Mais il dit que cela te ferait du bien de changer d'air.

Drogo eut alors l'idée de parler à Simeoni comme à un véritable ami, de lui ouvrir son âme, comme il l'eût fait avec Ortiz ; après tout, Simeoni aussi était un homme.

— Écoute, Simeoni, tenta-t-il de dire, changeant de ton. Tu sais bien que... nous sommes tous restés... ici, au fort... parce que nous espérions... C'est difficile à dire, mais tu le sais bien, toi aussi... (Drogo ne parvenait pas à s'expliquer : comment faire comprendre certaines choses à un tel homme ?) Tu sais bien que, n'eût été cette possibilité...

— Je ne comprends pas, dit Simeoni avec un ennui évident. (Drogo allait-il aussi chercher à exciter sa pitié ? pensa-t-il. La maladie l'avait-elle à ce point amolli ?)

— Mais si, il faut que tu comprennes, insista Giovanni. Cela fait plus de trente ans que je suis ici à attendre... J'ai laissé passer de nombreuses chances. Trente ans, c'est quelque chose, et tout ça pour attendre l'ennemi. Tu ne peux prétendre maintenant... Tu ne peux prétendre maintenant que je m'en aille, non, tu ne le peux pas, il me semble que j'ai un certain droit de rester...

— Bien, répliqua Simeoni avec irritation. Je croyais te faire plaisir et voici comment tu me réponds. Ça ne valait vraiment pas la peine. J'ai envoyé exprès deux estafettes, j'ai fait retarder pour ça la marche d'une batterie, afin de laisser passer la voiture.

— Mais je ne te dis rien, à toi, fit Drogo. Je te suis même reconnaissant, tu as fait cela dans une bonne intention, je le comprends (Oh ! pensait-il, quel supplice que de devoir faire des protestations d'amitié à ce salaud !), du reste, la voiture peut s'arrêter en route : à présent, je ne suis même pas en état de faire un tel voyage, ajouta-t-il imprudemment.

— Il y a quelques instants tu disais que demain

tu te lèverais, et maintenant tu dis que tu ne pourrais même pas monter en voiture. Excuse-moi, mais tu ne sais même pas toi-même ce que tu veux...

Drogo tenta de rectifier.

— Oh ! non, dit-il, c'est bien différent, faire un tel voyage c'est une chose, et aller jusqu'au chemin de ronde c'en est une autre. Je pourrai même prendre un tabouret avec moi et m'asseoir si j'éprouve une faiblesse (il avait pensé dire une « chaise », mais la chose pouvait paraître ridicule), de là, je pourrai surveiller la marche du service, je pourrai au moins voir.

— Reste, alors, reste ! fit Simeoni comme pour en finir. Mais je ne sais pas où je vais coucher les officiers qui vont arriver. Je ne peux tout de même pas les installer dans les couloirs, je ne peux pas les mettre non plus à la cave ! Dans cette pièce-ci, on aurait pu placer trois lits...

Drogo le regarda, glacé. Simeoni en était donc arrivé jusque-là ? Il voulait l'expédier, lui, Drogo, pour libérer une chambre ? Uniquement pour ça ? Il était bien question d'inquiétude et d'amitié ! « J'aurais dû m'en douter dès le début, pensa Drogo, il fallait bien s'attendre à ça de la part d'une telle canaille. »

Comme Drogo se taisait, Simeoni, encouragé, insista :

— Oui, ici, trois lits tiendront très bien. Deux le long de ce mur et le troisième dans ce coin. Tu comprends, Drogo ? Si tu m'écoutes, précisa-t-il sans plus de circonlocutions, si tu m'écoutes, au fond, tu me faciliteras ma tâche, tandis que, si tu restes ici, pardonne-moi, je t'en prie, de te le dire, je ne vois vraiment pas ce que tu pourras faire d'utile dans l'état où tu es.

— Bon, l'interrompit Giovanni. Maintenant, ça suffit, j'ai compris, n'insiste pas, je t'en prie, j'ai aussi mal à la tête.

— Excuse-moi, dit l'autre, excuse-moi si j'insiste, mais je voudrais régler tout de suite cette affaire. A présent, la voiture est en route, Rovina est partisan de ton départ, cela libérerait une chambre, toi, tu guériras plus vite et, au fond, pour moi aussi, c'est une grosse responsabilité que je prends de te garder ici malade, si, ensuite, il arrivait un malheur. Tu m'obliges à assumer une grosse responsabilité, je te le dis sincèrement.

— Écoute, répondit Drogo, mais il comprenait combien il était absurde de lutter ; et tout en parlant, il regardait fixement le rayon de soleil qui était en train de monter le long du mur lambrissé, s'allongeant obliquement. Excuse-moi si je te réponds non, mais je préfère rester. Je te garantis que tu n'auras aucun ennui; si tu veux, je vais te faire une déclaration écrite. Allons, Simeoni, laisse-moi tranquille, j'ai sans doute peu de temps à vivre, laisse-moi rester ici. Il y a plus de trente ans que je couche dans cette chambre...

L'autre resta un instant silencieux, il regarda avec mépris son collègue malade, eut un mauvais sourire et puis demanda d'une voix changée :

— Et si je te le demandais en tant que supérieur ? Si c'était un ordre que je te donnais, qu'est-ce que tu pourrais dire ? (Et, parvenu à ce point, il prit un temps, savourant l'impression qu'il avait produite.) Cette fois-ci, mon cher Drogo, tu ne fais pas preuve de ton habituel sens de la discipline militaire, je regrette de devoir te le dire. Mais, en fin de compte, tu t'en vas dans de bonnes conditions; Dieu sait combien il y en a qui changeraient avec toi. J'admets parfaitement que cela t'ennuie, mais on ne peut pas tout avoir en cette vie, il faut bien se faire une raison... Maintenant, je vais t'envoyer ton ordonnance, pour qu'elle prépare tes affaires, la voiture devrait être là pour deux heures. Nous nous reverrons tout à l'heure...

Ce disant, il s'en alla rapidement, de propos délibéré, pour ne pas laisser à Drogo le temps de faire de nouvelles objections. Après avoir fermé la porte avec une grande précipitation, il s'éloigna dans le corridor d'un pas vif, en personne satisfaite d'elle-même et qui est tout à fait maîtresse de la situation.

Un lourd silence s'établit. Floc ! fit, derrière le mur, l'eau de la citerne. Puis on n'entendit plus dans la chambre que la respiration oppressée de Drogo, qui avait un peu le son d'un sanglot. Et, dehors, la journée était à son plus haut point de splendeur; même les pierres qui commençaient à tiédir, on entendait le bruit lointain et régulier de l'eau sur les parois à pic, les ennemis s'amassaient sous le dernier repli devant le fort; par la route de la plaine, des troupes et des voitures descendaient toujours. Sur les glacis du fort, tout était prêt, les munitions en ordre, les soldats placés convenablement, les armes vérifiées. Tous les regards sont tournés vers le nord, bien que l'on ne voie rien à cause des montagnes qui sont devant (ce n'est que de la Nouvelle Redoute que l'on peut observer convenablement tout ce qui se passe). Comme en ces jours lointains où les étrangers étaient venus délimiter la ligne frontière, comme alors, les esprits sont en suspens, traversés alternativement par la peur et par la joie. En tout cas, personne n'a le temps de penser à Drogo, lequel est en train de s'habiller, aidé de Lucca, et se prépare à partir.

XXIX

En tant que voiture, c'était effectivement une belle voiture, d'une élégance même exagérée pour ces mauvaises routes. N'eût été l'écusson régimentaire qu'il y avait sur les portières, on aurait pu la prendre pour la voiture d'un riche propriétaire. Sur le siège, il y avait deux soldats : le cocher et l'ordonnance de Drogo.

Personne, au milieu de l'affairement du fort, où arrivaient déjà les premiers échelons de renforts, ne fit grande attention à un officier maigre, au visage hâve et jaunâtre, qui descendait lentement les escaliers, se dirigeait vers l'entrée du fort et gagnait l'endroit, à l'extérieur, où la voiture était arrêtée.

A ce moment-là, on voyait s'avancer, sur l'esplanade baignée de soleil, une longue file de soldats, de chevaux et de mules qui arrivaient de la vallée. Bien que fatigués par la marche forcée, les militaires accéléraient d'autant plus le pas qu'ils se rapprochaient du fort, et l'on vit les musiciens, qui étaient en tête, retirer la gaine de toile grise de leurs instruments comme s'ils se préparaient à en jouer.

En passant, quelques soldats saluaient Drogo, mais ils étaient en petit nombre et leur salut n'était plus comme avant. Tout le monde savait, semblait-il, qu'il s'en allait et que maintenant il ne comptait plus pour rien dans la hiérarchie du fort. Le lieutenant Moro et quelques autres vinrent lui souhaiter bon voyage, mais ce furent des adieux très brefs, empreints de cette vague affection que témoignent les jeunes gens aux gens des vieilles générations. Quelqu'un dit à Drogo que le colonel Simeoni le priait d'attendre : pour le moment le colonel Simeoni était très occupé, le colonel Simeoni demandait que le commandant Drogo eût la bonté de patienter quelques minutes, le colonel Simeoni allait venir sans faute.

Malgré cela, Drogo, dès qu'il fut monté en voiture, donna tout de suite l'ordre de partir. Il avait fait abaisser le soufflet afin de respirer plus à l'aise, il s'était entouré les jambes avec deux ou trois couvertures sombres sur lesquelles se détachait le scintillement du sabre.

Oscillant sur les cailloux, la voiture s'éloigna sur l'esplanade pierreuse, conduisant Drogo vers le terme de sa route. Assis de côté, hochant la tête à chacun des cahots, Drogo contemplait les murs jaunes du fort et les voyait diminuer de plus en plus.

Son existence s'était passée là-haut, isolée du monde ; pendant plus de trente ans, il s'était privé de toute joie pour attendre l'ennemi et, maintenant que celui-ci arrivait enfin, maintenant, on le chassait. Et ses camarades, ses autres camarades, ceux qui avaient mené là-bas, en ville, une vie facile et joyeuse, les voici à présent qui arrivaient au col, avec des sourires méprisants et supérieurs, venus moissonner de la gloire.

Les yeux de Drogo n'arrivaient pas à se détacher des murs jaunâtres du fort, des formes géométriques des casemates et des poudrières. Des larmes amères coulaient lentement sur sa peau ridée, tout finissait misérablement et il n'y avait plus rien à dire.

Rien, il ne restait vraiment plus rien à Drogo, il était seul au monde, malade, et on l'avait chassé comme un lépreux. « Les salauds, les salauds », pensait-il. Mais, l'instant d'après, il préférait se laisser aller, ne plus penser à rien, sinon une insupportable et débordante colère s'emparait de lui.

Le soleil était déjà moins haut dans le ciel, et pourtant il y avait encore pas mal de route à parcourir; sur le siège, les deux soldats bavardaient tranquillement, rester ou partir leur était indifférent. Eux, ils avaient pris la vie comme elle venait, sans se tracasser avec des idées absurdes. La voiture, magnifiquement suspendue, une vraie voiture de malade, oscillait à chaque dépression du sol comme une balance de précision. Et le fort, dans l'ensemble du panorama, devenait toujours plus petit et plat, bien que ses murs brillassent étrangement par cet après-midi de printemps.

« La dernière fois, très probablement, pensa Drogo quand la voiture atteignit l'extrémité de l'esplanade, là où la route commençait à s'enfoncer dans la vallée. Adieu, fort Bastiani », se dit-il. Mais il était un peu abruti et il n'eut même pas le courage de faire arrêter les chevaux pour jeter un dernier regard à la vieille bâtisse qui, maintenant seulement, après des siècles, était sur le point de justifier son existence.

Pendant un instant encore, s'attarda dans les yeux de Drogo l'image des murs jaunasses, des bastions de biais, des mystérieuses redoutes, des rochers latéraux que noircissait le dégel. Il sembla à Giovanni — mais cette impression ne dura qu'un temps infime — que les remparts s'allongeaient brusquement vers le ciel, étincelants de lumière, puis les roches moussues entre lesquelles s'enfonçait la route lui masquèrent brutalement tout.

Il arriva vers cinq heures à une petite auberge, à l'endroit où la route longeait une gorge. En haut, s'élevaient, comme un mirage, de chaotiques crêtes d'herbe et de terre rouge, des monts désolés où peut-être l'homme n'avait jamais mis le pied. Au fond, courait le torrent.

La voiture s'arrêta sur le terre-plein exigu qui était devant l'auberge au moment précis où passait un bataillon de chasseurs. Drogo vit défiler autour de lui des visages jeunes, rouges de sueur et de fatigue, et dont les yeux le regardaient avec étonnement. Seuls les officiers le saluèrent. Il entendit la voix de l'un de ceux qui l'avaient déjà dépassé qui disait : « Il ne s'en fait pas, le vieux ! » Toutefois, cette réflexion ne fut suivie d'aucun rire. Tandis qu'ils allaient à la bataille, lui redescendait vers la plaine sans gloire. Quel ridicule officier, se disaient probablement ces soldats, à moins qu'ils n'eussent lu sur son visage que lui aussi allait mourir.

Il ne parvenait pas à se débarrasser de ce vague abrutissement, il était comme dans un brouillard : peut-être était-ce le balancement de la voiture, peut-être la maladie, peut-être simplement la douleur de voir sa vie finir lamentablement. Plus rien, absolument plus rien ne lui importait. L'idée de revenir dans sa ville, d'errer d'un pas traînant dans la vieille maison déserte ou de passer au lit de longs mois d'ennui et de solitude lui faisait peur. Il n'avait aucune hâte d'arriver. Il décida de s'arrêter pour la nuit à l'auberge.

Il attendit que le bataillon fût entièrement passé, que la poussière soulevée par les soldats fût retombée sur leurs pas, que le bruit sourd de leurs voitures eût été couvert par la voix du torrent. Puis il descendit tout doucement de la voiture, s'appuyant sur l'épaule de Lucca.

Sur le seuil était assise une femme, en train de tricoter et aux pieds de qui dormait, dans un berceau rustique, un petit enfant. Drogo regarda avec étonnement ce sommeil merveilleux, si différent de celui des grandes personnes, si délicat et si profond. Ce petit être ne connaissait pas encore les songes troubles, sa petite âme voguait insouciante, sans désirs ni remords, dans une atmosphère pure et infiniment calme. Drogo resta immobile à contempler le petit enfant endormi, et une tristesse aiguë s'emparait de son cœur. Il chercha à s'imaginer lui-même, plongé dans le sommeil, un singulier Drogo qu'il ne pourrait jamais connaître. L'image de son propre corps se présenta à lui, bestialement assoupie, secouée par d'obscures inquiétudes, la respiration pesante, la bouche entr'ouverte et tombante. Et pourtant, lui aussi avait jadis dormi comme cet enfant, lui aussi avait été gracieux et innocent et peut-être qu'un vieil officier malade s'était arrêté pour le regarder, avec une amère stupeur. Pauvre Drogo, se dit-il, et il se rendait compte quelle faiblesse c'était là, mais après tout il était seul au monde, et, en dehors de lui-même, il n'y avait personne d'autre qui l'aimât.

XXX

Il se retrouva assis dans le grand fauteuil d'une chambre à coucher ; et c'était un soir extraordinaire qui entrait par la fenêtre avec l'air embaumé. Drogo regardait d'un œil morne le ciel qui devenait toujours plus bleu, les ombres violettes du vallon, les crêtes encore baignées de soleil. Le fort Bastiani était loin, on n'apercevait même plus ses montagnes.

Ce devait être là un soir de bonheur même pour les hommes qui n'avaient pas beaucoup de chance. Giovanni pensa à la ville dans le crépuscule, aux douces angoisses de la nouvelle saison, aux jeunes couples dans les avenues le long du fleuve, aux accords de piano qui venaient des fenêtres où il y avait déjà de la lumière, au sifflement d'un train dans le lointain. Il imagina les feux du bivouac ennemi au milieu de la plaine du nord, les lanternes du fort qui se balançaient au vent, la nuit blanche et merveilleuse des veilles de bataille. Tout le monde, d'une façon ou de l'autre, avait une raison, même petite, d'espérer, tout le monde sauf lui.

En dessous, dans la salle commune, un homme, puis un autre s'étaient mis à chanter en chœur une sorte de chanson d'amour populaire. Très haut dans le ciel, là où le bleu se faisait plus profond, trois ou quatre étoiles s'allumèrent. Drogo était seul dans sa chambre, l'ordonnance était descendue boire un verre. Dans les coins et sous les meubles s'amassaient des ombres suspectes. Giovanni, pendant un instant, sembla incapable de se dominer (après tout, personne ne le voyait, personne au monde ne le saurait), pendant un instant, le commandant Drogo eut l'impression que le lourd fardeau de son âme allait se résoudre en larmes.

A ce moment précis, surgit, claire et terrible, venue de lointains replis, une nouvelle pensée : celle de la mort.

Il parut à Drogo que la fuite du temps s'était arrêtée. C'était comme si un charme venait d'être rompu. Les derniers temps, le tourbillon s'était fait toujours plus intense, puis, brusquement, plus rien, le monde stagnait dans une apathie horizontale et les horloges fonctionnaient inutilement. La route de Drogo avait atteint son terme ; le voici maintenant sur la rive solitaire d'une mer grise et uniforme, et alentour pas une maison, pas un arbre, pas un homme, et tout cela est ainsi depuis des temps immémoriaux.

Des extrêmes confins, il sentait avancer sur lui une ombre progressive et concentrique, c'était peut-être une question d'heures, peut-être de semaines ou de mois ; mais même les semaines et les mois sont une bien pauvre chose quand ils nous séparent de la mort. La vie donc n'avait été qu'une sorte de plaisanterie : pour un orgueilleux pari tout avait été perdu.

Dehors, le ciel était devenu d'un bleu intense, il

restait néanmoins à l'occident une bande de lumière au-dessus du profil violet des montagnes. Et l'obscurité avait pénétré dans la chambre, on distinguait uniquement les formes menaçantes des meubles, la blancheur du lit, le sabre brillant de Drogo. Il ne bougerait plus de là, il s'en rendait compte.

Enveloppé de la sorte par les ténèbres, cependant qu'au-dessous les douces chansons continuaient, entremêlées des arpèges d'une guitare, Giovanni Drogo sentit alors naître en soi un espoir extrême. Lui, seul au monde et malade, renvoyé de la forteresse comme un importun et un poids, lui qui était resté en arrière de tout le monde, lui timide et faible, osait imaginer que tout n'était pas fini ; parce que peut-être était vraiment arrivée sa grande chance, la bataille définitive qui pouvait racheter sa vie entière.

Effectivement s'avançait contre Giovanni Drogo l'ultime ennemi. Non point des hommes semblables à lui, tourmentés comme lui par des déserts et des douleurs, des hommes d'une chair qu'on pouvait blesser, avec des visages que l'on pouvait regarder, mais un être tout-puissant et méchant; il n'était pas question de combattre sur le sommet des remparts, au milieu des coups de canon et des cris exaltants, sous un ciel printanier tout bleu, il n'y avait pas d'amis à côté de vous dont la vue vous redonne du courage, il n'y avait pas non plus l'âcre odeur de la poudre, ni de fusillades, ni de promesses de gloire. Tout va se passer dans la chambre d'une auberge inconnue, à la lueur d'une chandelle, dans la solitude la plus totale. On ne combat pas pour repartir couronné de fleurs, par un matin de soleil, au milieu des sourires des jeunes femmes. Il n'y a personne qui regarde, personne ne vous dira bravo.

Oh ! c'est une bataille bien plus dure que celle qu'il souhaitait jadis. Même de vieux hommes de guerre préféreraient ne pas la tenter. Parce qu'il peut être beau de mourir en plein air, à l'air libre, dans la fureur de la mêlée, quand on a le corps encore jeune et sain, au milieu des triomphales sonneries de trompette ; il est certes plus triste de mourir d'une blessure, après de longues souffrances, dans une salle d'hôpital ; plus mélancolique encore de finir chez soi, dans son lit, au milieu des affectueuses lamentations, des lumières tamisées et des fioles de médicaments. Mais rien n'est plus difficile que de mourir en un pays étranger et inconnu, sur le lit banal d'une auberge, vieux et enlaidi, sans laisser personne au monde derrière soi.

Courage, Drogo, c'est là ta dernière carte, va en soldat à la rencontre de la mort et que, au moins, ton existence fourvoyée finisse bien. Venge-toi finalement du sort, nul ne chantera tes louanges, nul ne t'appellera héros ou quelque chose de semblable, mais justement pour cela ça vaut la peine. Franchis d'un pied ferme la limite de l'ombre, droit comme pour une parade, et souris même, si tu y parviens. Après tout, ta conscience n'est pas trop lourde et Dieu saura pardonner.

C'est là ce que Giovanni se disait à lui-même, comme une sorte de prière, sentant se resserrer autour de lui le cercle final de la vie. Et du puits amer des choses passées, des désirs inachevés, des méchancetés souffertes, montait une force qu'il n'eût jamais osé espérer avoir. Avec une joie inexprimable, Giovanni Drogo s'aperçut, tout d'un coup, qu'il était tout à fait calme, presque anxieux de recommencer l'épreuve. Ah ! on ne pouvait pas tout attendre de la vie, ah ! on ne pouvait pas tout demander à la vie ? Ah oui ! vraiment, Simeoni ? Eh bien ! Drogo va te montrer !

Courage, Drogo. Et il essaya de faire un effort, de tenir dur, de jouer avec la pensée terrible. Il y mit toute son âme, dans un élan désespéré, comme s'il partait à l'assaut tout seul contre une armée. Et subitement les antiques terreurs tombèrent, les cauchemars s'affaissèrent, la mort perdit son visage glaçant, se changeant en une chose simple et conforme à la nature. Le commandant Giovanni Drogo, pauvre homme dévoré par la maladie et par les années, se lança contre l'immense portail noir et s'aperçut que les battants s'ouvraient, laissant passer la lumière.

L'attente inquiète sur les glacis du fort, l'aride exploration de la plaine désolée du nord, les soucis au sujet de la carrière, les longues années d'expectative ne furent plus qu'une pauvre chose. Il n'y avait même plus besoin d'envier Angustina. Oui, Angustina était mort à la cime d'une montagne, au cœur de la tempête, il s'en était allé tout seul, avec vraiment beaucoup d'élégance. Mais il était bien plus ambitieux de finir bravement dans les conditions où se trouvait Drogo, dévoré par la maladie, exilé parmi des inconnus.

Il lui déplaisait seulement de devoir s'en aller de là avec son misérable corps aux os saillants, la peau blanchâtre et flasque. Angustina était mort intact, pensait Giovanni, son image, malgré les années, s'était maintenue celle d'un jeune homme grand et délicat, au visage noble et séduisant :

c'était là son privilège. Mais qui sait si Drogo, lui aussi, une fois passé le sombre seuil, n'allait pas pouvoir redevenir comme jadis, non point beau (car beau il ne l'avait jamais été), mais paré de la fraîcheur de la jeunesse? Quelle joie, se disait Drogo à cette idée, tel un enfant, car il se sentait étrangement libre et heureux.

Mais une question lui vint ensuite à l'esprit : et si tout était une erreur ? si son courage n'était qu'une sorte d'ivresse ? s'il dépendait seulement du merveilleux crépuscule, de l'air embaumé, de l'interruption des douleurs physiques, des chansons de l'étage au-dessous ? et si, dans quelques instants, dans une heure, il lui fallait redevenir le Drogo d'avant, faible et vaincu ?

Non, ne pense pas à cela, Drogo, maintenant cesse de te tourmenter, maintenant le plus dur a été fait. Même si les douleurs t'assaillent, même s'il n'y a plus de musique pour te consoler et si, au lieu de cette nuit magnifique, viennent des brumes fétides, le résultat sera le même. Le plus dur a été fait, on ne peut plus te frustrer.

L'obscurité a empli la chambre, ce n'est qu'à grand'peine que l'on peut distinguer la blancheur du lit et tout le reste est noir. Sous peu, la lune devrait se lever.

Drogo aura-t-il le temps de la voir ou faudra-t-il qu'il s'en aille avant ? La porte de la chambre a un frémissement et craque légèrement. Peut-être est-ce un courant d'air, un simple coup de vent comme il y en a par ces inquiètes nuits de printemps. Mais peut-être aussi est-ce Elle qui est entrée, à pas silencieux, et qui maintenant s'approche du fauteuil de Drogo. Faisant un effort, Giovanni redresse un peu le buste, arrange d'une main le col de son uniforme, jette encore un regard par la fenêtre, un très bref coup d'œil, pour voir une dernière fois les étoiles. Puis, dans l'obscurité, bien que personne ne le voie, il sourit.

ÉGALEMENT CHEZ POCKET
LITTÉRATURE « GÉNÉRALE »

ALBERONI FRANCESCO
Le choc amoureux
L'érotisme
L'amitié
Le vol nuptial
Les envieux

ARNAUD GEORGES
Le salaire de la peur

BARJAVEL RENÉ
Les chemins de Katmandou
Les dames à la licorne
Le grand secret
La nuit des temps
Une rose au paradis

BERBEROVA NINA
Histoire de la baronne Boudberg
Tchaïkovski

BERNANOS GEORGES
Journal d'un curé de campagne
Nouvelle histoire de Mouchette
Un crime

BESSON PATRICK
Le dîner de filles

BLANC HENRI-FRÉDÉRIC
Combats de fauves au crépuscule
Jeu de massacre

BOULGAKOV MICHAEL
Le maître et Marguerite
La garde blanche

BOULLE PIERRE
La baleine des Malouines
L'épreuve des hommes blancs
La planète des singes
Le pont de la rivière Kwaï
William Conrad

BOYLE T. C.
Water Music

BRAGANCE ANNE
Anibal
Le voyageur de noces
Le chagrin des Resslingen

BRONTË CHARLOTTE
Jane Eyre

BURGESS ANTHONY
L'orange mécanique
Le testament de l'orange

BUZZATI DINO
Le désert des Tartares
Le K
Nouvelles (Bilingue)

CARRIÈRE JEAN
L'épervier de Maheux

CARRIÈRE JEAN-CLAUDE
La controverse de Valladolid
Le Mahabharata
La paix des braves
Simon le mage

CESBRON GILBERT
Il est minuit, Docteur Schweitzer

CHANDERNAGOR FRANÇOISE
L'allée du roi

CHANG JUNG
Les cygnes sauvages

CHATEAUREYNAUD G.-O.
Le congrès de fantomologie

CHOLODENKO MARC
Le roi des fées

COURRIÈRE YVES
Joseph Kessel

DAVID-NÉEL ALEXANDRA
Au pays des brigands gentils-hommes

Le bouddhisme du Bouddha
Immortalité et réincarnation
L'Inde où j'ai vécu
Journal
tome 1
tome 2
Le Lama aux cinq sagesses
Magie d'amour et magie noire
Mystiques et magiciens du Tibet
La puissance du néant
Le sortilège du mystère
Sous une nuée d'orages
Voyage d'une Parisienne à Lhassa

Deniau Jean-François
La Désirade
L'Empire nocturne
Le secret du roi des serpents
Un héros très discret
Mémoires de 7 vies

Fernandez Dominique
Le promeneur amoureux

Fitzgerald Scott
Un diamant gros comme le Ritz

Forester Cecil Scott
Aspirant de marine
Lieutenant de marine
Seul maître à bord
Trésor de guerre
Retour à bon port
Le vaisseau de ligne
Pavillon haut
Le seigneur de la mer
Lord Hornblower
Mission aux Antilles

France Anatole
Crainquebille
L'île des pingouins

Franck Dan/Vautrin Jean
La dame de Berlin
Le temps des cerises
Les noces de Guernica

Genevoix Maurice
Beau François
Bestiaire enchanté
Bestiaire sans oubli
La forêt perdue
Le jardin dans l'île
La Loire, Agnès et les garçons
Le roman de Renard
Tendre bestiaire

Giroud Françoise
Alma Mahler
Jenny Marx

Grèce Michel de
Le dernier sultan
L'envers du soleil – Louis XIV
La femme sacrée
Le palais des larmes
La Bouboulina

Hermary-Vieille Catherine
Un amour fou
Lola

Inoué Yasushi
Le geste de Sanada

Jacq Christian
L'affaire Toutankhamon
Champollion l'Égyptien
Maître Hiram et le roi Salomon
Pour l'amour de Philae
Le juge d'Égypte
1. La pyramide assassinée
2. La loi du désert
3. La justice du Vizir
La reine soleil
Barrage sur le Nil
Le moine et le vénérable
Ramsès
1. Le fils de la lumière
2. Le temple des millions d'années
3. La bataille de Kadesh
4. La dame d'Abou Simbel

Joyce James
Les gens de Dublin

Kafka Franz
Le château
Le procès

Kazantzaki Nikos
Alexis Zorba
Le Christ recrucifié
La dernière tentation du Christ
Lettre au Greco
Le pauvre d'Assise

Kessel Joseph
Les amants du Tage
L'armée des ombres
Le coup de grâce
Fortune carrée
Pour l'honneur

Lainé Pascal
Elena

Lapierre Dominique
La cité de la joie

Lapierre Dominique
et Collins Larry
Cette nuit la liberté
Le cinquième cavalier
Ô Jérusalem
... ou tu porteras mon deuil
Paris brûle-t-il ?

Lawrence D.H.
L'amant de Lady Chatterley

Léautaud Paul
Le petit ouvrage inachevé

Levi Primo
Si c'est un homme

Lewis Roy
Le dernier roi socialiste
Pourquoi j'ai mangé mon père

Loti Pierre
Pêcheur d'Islande

Mauriac François
Le romancier et ses personnages
Le sagouin

Messina Anna
La maison dans l'impasse

Michener James A.
Alaska
1. La citadelle de glace
2. La ceinture de feu
Caraïbes
tome 1
tome 2
Hawaii
tome 1
tome 2
Mexique

Mimouni Rachid
De la barbarie en général et de l'intégrisme en particulier
Le fleuve détourné
Une peine à vivre
Tombéza

Monteilhet Hubert
Néropolis

Morgièvre Richard
Fausto

Nakagami Kenji
La mer aux arbres morts
Mille ans de plaisir

Nasr Eddin Hodja
Sublimes paroles et idioties

Nin Anaïs
Henry et June (Carnets secrets)

Perec Georges
Les choses

Queffelec Yann
La femme sous l'horizon
Le maître des chimères
Prends garde au loup

Radiguet Raymond
Le diable au corps

Ramuz C.F.
La pensée remonte les fleuves

Rey Françoise
La femme de papier
La rencontre
Nuits d'encre
Marcel facteur

Rouanet Marie
Nous les filles

Sagan Françoise
Aimez-vous Brahms..
... et toute ma sympathie
Bonjour tristesse
La chamade
Le chien couchant
Dans un mois, dans un an
Les faux-fuyants
Le garde du cœur
La laisse
Les merveilleux nuages
Musiques de scènes
Républiques
Sarah Bernhardt
Un certain sourire
Un orage immobile
Un piano dans l'herbe
Les violons parfois

Salinger Jerome-David
L'attrape-cœur
Nouvelles

Schreiner Olive
La nuit africaine

Stoker Bram
Dracula

Tartt Donna
Le maître des illusions

Troyat Henri
Faux jour
La fosse commune
Grandeur nature
Le mort saisit le vif
Les semailles et les moissons
1. Les semailles et les moissons
2. Amélie
3. La Grive
4. Tendre et violente Elisabeth
5. La rencontre

La tête sur les épaules

Vialatte Alexandre
Antiquité du grand chosier
Badonce et les créatures
Les bananes de Königsberg
Les champignons du détroit de Behring
Chronique des grands micmacs
Dernières nouvelles de l'homme
L'éléphant est irréfutable
L'éloge du homard et autres insectes utiles
Et c'est ainsi qu'Allah est grand
La porte de Bath Rabbim

Wallace Lewis
Ben-Hur

Waltari Mika
Les amants de Byzance
Jean le Pérégrin

Cet ouvrage a été réalisé par la
SOCIÉTÉ NOUVELLE FIRMIN-DIDOT
Mesnil-sur-l'Estrée
pour le compte des éditions Pocket
en octobre 1999

POCKET - 12, avenue d'Italie - 75627 PARIS CEDEX 13
Tél. : 01-44-16-05-00

Imprimé en France
Dépôt légal : mars 1994
N° d'impression : 48552